QUE SAIS-JE ?

L'orthographe

NINA CATACH
Docteur ès lettres
Directeur de recherche au CNRS

Sixième édition corrigée

39e mille

ISBN 2 13 046056 9

Dépôt légal — 1ʳᵉ édition : 1978
6ᵉ édition corrigée : 1995, juillet

© Presses Universitaires de France, 1978
108, boulevard Saint-Germain, 75006 Paris

INTRODUCTION

« Le peuple n'est pas le
maître de l'écriture comme
de la parole. »

VARRON.

L'orthographe est une notion relativement récente.
Le mot se rattache à deux mots grecs, γραφεῖν,
« écrire », ὀρθῶς, « correctement ».

Toute écriture connaît certaines règles ou conven-
tions qui en contrôlent l'usage. Mais ce n'est pas
sans une certaine extension de sens qu'on a pu
parler, par exemple, de « l'orthographe » du grec
ou du latin (Meillet), tant ces règles sont peu nombreuses et simples. Des écritures alphabétiques
comme celles du turc actuel, par exemple, ou du
serbo-croate, sont si claires que la correspondance
entre le son et le signe, le signe et le son, une fois
connue, permet pratiquement de se délivrer de tout
souci de « correction », tel que nous le connaissons
en France.

En revanche, il serait faux de croire, comme on le
fait souvent, que ce type de problème soit une
spécialité française. Sans parler du chinois et des
langues apparentées, qui ne sont pas de type alphabétique, la plupart des langues anciennes et mo-

Je remercie bien sincèrement tous ceux, amis et collaborateurs, qui
ont accepté de relire les épreuves de ce livre et m'ont aidée de leurs
remarques et de leurs précieux conseils.

dernes présentent des écritures de compromis, des écritures à plusieurs niveaux, qui tiennent compte non seulement du son, mais du sens. Les hiéroglyphes, par exemple, étaient des *idéogrammes* (signes-mots) enrichis de notations phonétiques. C'est pour l'avoir trouvé que Champollion a pu déchiffrer la pierre de Rosette. Dans le cas de la plupart des langues européennes, dans des proportions parfois très diverses, on se trouve souvent devant le phénomène inverse : un ensemble de notations phonétiques, enrichi de certains éléments notionnels (1).

Notre orthographe n'en présente pas moins un mystère : d'écriture « romane », relativement proche de celle de l'italien et de l'espagnol, telle qu'elle a, peut-on dire, fonctionné des origines au XIIIe siècle, elle s'est transformée assez brutalement en écriture de type « idéographique », s'éloignant des orthographes sœurs, et ne reprenant ensuite que difficilement contact avec ses origines.

Bien que notre orthographe moderne soit moins éloignée de la langue parlée qu'elle ne l'a été durant cette « crise » du moyen français, il est certain qu'elle ne répond plus aux critères alphabétiques classiques, tels qu'ils ont été énoncés par Port-Royal :

« 1) que toute figure marquât quelque son, c'est-à-dire, qu'on n'écrivît rien qui ne se prononçât ;

---

(1) Sur l'histoire et les systèmes de l'écriture, et l'expansion de l'alphabet, cf. M. COHEN, *L'écriture*, Editions Sociales, 1953 ; J. FÉVRIER, *Histoire de l'écriture*, Paris, 1959 ; I. J. GELB, *Pour une théorie de l'écriture*, trad. fr. chez Flammarion, 1973 ; G. SAMPSON, *Writing Systems*, Londres, 1985 ; N. CATACH (Ed.), *Pour une théorie de la langue écrite*, Presses du CNRS, 1988, etc. L'extrême plasticité dans la notation des langues apportée par l'alphabet, qu'on peut comparer à l'introduction de la monnaie remplaçant le troc direct des marchandises, avait déjà frappé J.-J. ROUSSEAU : « Cette manière d'écrire a dû être imaginée par des peuples commerçants qui, voyageant en plusieurs pays et ayant à parler plusieurs langues, furent forcés d'inventer des caractères qui puissent être communs à tous... » (*Sur l'origine des langues*, 1781).

« 2) que tout son fût marqué par une figure ; c'est-à-dire, qu'on ne prononçât rien qui ne fût écrit ;

« 3) que chaque figure ne marquât qu'un son, ou simple, ou double : car ce n'est pas contre la perfection de l'écriture qu'il y ait des lettres doubles, puisqu'elles la facilitent en l'abrégeant ;

« 4) qu'un même son ne fût point marqué par différentes figures... » (*Grammaire générale*, republications Paulet, 1969, pp. 17-18).

Encore faut-il souligner que les auteurs de la *Grammaire générale* sont loin de limiter les valeurs de l'orthographe à la seule notation des sons : « Il y a certaines lettres, continuent-ils, qui ne se prononcent point, et qui ainsi sont inutiles quant au son, lesquelles ne laissent pas de nous servir pour l'intelligence de ce que les mots signifient... »

Nous nous retrouvons donc devant une écriture à deux niveaux, et notre problème reste entier.

TRANSCRIPTION PHONÉTIQUE

La prononciation est notée entre crochets [ ], avec les principaux signes de l'Alphabet phonétique international (API).

Voyelles

[a]	dans patte	[o]	dans pot
[ɑ]	dans pâte	[ɔ]	dans port
[e]	dans thé	[i]	dans nid
[ɛ]	dans belle	[y]	dans tu
[ø]	dans peu	[u]	dans fou
[ə]	correspond à e muet ou	[ã]	dans blanc
	e caduc prononcé, p. ex.	[ɛ̃]	dans vin
	dans fortement	[ɔ̃]	dans pont
[œ]	dans beurre	[œ̃]	dans brun

Consonnes

[p]	dans père	[m]	dans mère
[b]	dans bête	[n]	dans nous
[t]	dans tête	[l]	dans long
[d]	dans dé	[r]	dans rond ; correspond au r français prononcé avec le dos de la langue
[k]	dans car		
[g]	dans gare et guerre		
[ʃ]	dans chat	[ɲ]	correspond à gn dans ligne
[ʒ]	dans jeu	[ŋ]	correspond à ng dans parking
[f]	dans feu		
[v]	dans vent		
[s]	dans once		
[z]	dans onze		

Semi-consonnes

[j] yod, correspond à i dans hier, à y dans yoga, à ill dans tailla, etc.

[w] correspond à ou dans oui

[ɥ] correspond à u dans huile.

CHAPITRE PREMIER

HISTOIRE DE L'ORTHOGRAPHE

I. — Les origines :
adoption de l'alphabet latin

Si l'on excepte quelques lettres et usages nouveaux, proprement français (le *j*, le *v*, les accents et signes auxiliaires, etc.), notre alphabet nous vient du latin, et nous n'avons jamais créé les signes qui nous auraient été absolument nécessaires pour transcrire avec exactitude les sons de notre langue.

Après la période de flottement qui a dû précéder les premières tentatives d'écriture en langue vulgaire (v^e-viiie siècle), c'est tout naturellement avec des lettres latines, plus ou moins maladroitement combinées, que les scribes ont essayé de régler ce problème quasi insoluble. En ce sens, il n'est pas exact de dire que notre écriture était au départ « phonétique ». Elle l'était, si l'on admet, par exemple, que la seule lettre *c* du latin, qui notait seulement [k], a continué à servir, suivant sa position, pour plusieurs sons différents dans toutes les langues romanes. Elle l'était, si l'on admet que le *u* latin servait soit pour [u], soit pour le phonème [y] propre au français, soit pour [v], soit même pour [o], [ɔ]. Elle l'était, si l'on admet que dans le *Serment de Strasbourg* par exemple, l'un des tout premiers documents écrits que nous possédions de notre langue (842), la même voyelle finale est transcrite tantôt par *o (Karlo)*, tantôt par *a (fradra)*, tantôt par *e (fradre, Karle)*, etc.

Si l'on examine ce *Serment de Strasbourg*, miraculeusement conservé jusqu'à nous (grâce à Nithard, le petit-fils de Charlemagne), on est frappé de constater combien il présente déjà, toutes proportions gardées, certaines des caractéristiques de notre orthographe actuelle.

En voici un court passage (nous avons modernisé la séparation des mots, les abréviations, la ponctuation, l'apostrophe, mais non les accents, et nous avons conservé l'usage du *u* pour *v* à l'intérieur des mots) :

« Pro deo amur et pro christian poblo et nostro commun saluament, d'ist di en auant, in quant Deus sauir et podir me dunat, si saluarai eo cist meon fradre Karlo, et in aiudha et in cadhuna cosa, si cum om per dreit son fradra saluar dist, in o quid il mi altresi fazet, et ab Ludher nul plaid nunquam prindrai, qui meon vol cist meon fradre Karle in damno sit... »

(Traduction : Pour l'amour de Dieu et pour le salut commun du peuple chrétien et le nôtre, à partir de ce jour, autant que Dieu m'en donne le savoir et le pouvoir, je soutiendrai mon frère Charles de mon aide en toute chose, comme on doit justement soutenir son frère, à condition qu'il m'en fasse autant, et je ne prendrai jamais aucun arrangement avec Lothaire qui, à ma volonté, soit au détriment de mon dit frère Charles...) (1).

Sans prétendre analyser ce texte comme il le mériterait, on est frappé du nombre et de la force des graphies étymologiques, qui vont au point de conserver tel quel l'aspect des mots latins correspondants :

Ex. : *nunquam*, « jamais » ; *si cum*, « si comme » ; *quid*, pour « que » ; *qui ... in damno sit*, « qui ... au dam (détriment) soit... ».

Alors que la graphie des consonnes est à peu près satisfaisante (avec même un effort pour opposer *fradre, podir*, à l'interdentale notée *dh* dans *aiudha, cadhuna*), il n'en est pas de même des voyelles, et nous verrons que là se situera toujours l'inadéquation difficilement récupérable de l'alphabet latin : notation hésitante du groupe voyelle + consonne nasale (« d'ist di *en* avant, *in* quant... ») ; *u* note tantôt [o], [u], tantôt [y]

(1) *Serment de Strasbourg*, échangé entre Louis le Germanique et Charles le Chauve contre leur frère Lothaire, le 14 février 842, texte et traduction de F. BRUNOT, *Histoire de la langue française*, ici *HLF*, I, p. 144.

(dunat, cum, amur, cadhuna...), tantôt [v] *(saluament, saluarai)* ; les diphtongues sont peu ou pas notées *(sauir, podir,* pour *saveir, podeir,* à côté de *per dreit,* « par droit ») ; le pronom *je* est noté tantôt *eo,* tantôt *io,* etc.

Avec l'absence, ressentie jusqu'au XVIIIe siècle, de consonnes distinctes marquant *j* et *v,* il faut noter ici le cumul de *c, qu* et *k,* notant à peu près les mêmes sons devant *a, o, u (cadhuna, quant, Karlo).*

Comme l'a fort bien montré Ch. Beaulieux (1), les croisements entre les deux langues « se conçoivent d'autant plus facilement qu'à cette époque la prononciation du latin *animam, inimicum, nunquam, rex,* et du français *aneme, enemi, nonke, reis,* devait être sensiblement analogue » *(HLF,* I, p. 508). Nous tenons là, en effet, une des raisons les plus évidentes mais les plus difficilement concevables de notre façon d'écrire : le latin et le français ont vécu durant de nombreux siècles (et, dans certains milieux, comme l'Eglise et l'Université, jusqu'à une époque toute récente) en état de véritable symbiose, ils étaient sentis comme une seule et même langue : on lisait le latin « à la française », on écrivait le français « à la latine ». Le clerc qui a transcrit le *Serment de Strasbourg* parlait déjà français, et écrivait encore latin, ou du moins se servait tout naturellement des usages latins pour écrire le français. Lorsque avec beaucoup de mal les deux langues se sont définitivement séparées, il était sans doute déjà trop tard. Ce fait, d'une importance capitale, va influer sur toutes les périodes qui vont suivre.

Il ne faut cependant pas croire que cette marque originelle, l'étymologisme, suffise à caractériser toute l'évolution graphique du français. Malgré les

---

(1) *Histoire de l'orthographe,* Champion, 1927, ici *Beaul.,* premier véritable historien de l'orthographe française. Cf. Bibliographie (ici, Bibl.) ; c'est Ch. BEAULIEUX qui a également écrit le chapitre intitulé « La graphie » dans *HLF* (t. I, chap. V, pp. 301 à 551).

apparences, et en dépit de nombreuses péripéties, le courant vers le phonétisme va, dans l'ensemble, triompher.

Au IXe siècle, la volonté de séparation des deux langues a fait déjà l'objet de ce qu'on appelle la *réforme de Charlemagne*. Les écoles une fois restaurées, on décida d'y enseigner le latin avec sa véritable prononciation d'origine et, inversement, d'introduire la langue vulgaire dans les sermons (813). Malheureusement, ni la distinction entre les voyelles longues et brèves du latin ni la place de l'accent, pour ne prendre que deux exemples, n'étaient connues, n'étant ni l'une ni l'autre marquées par la graphie. Les confusions redoublèrent et la réforme échoua, sans autre résultat que de rétablir dans les textes une orthographe un peu plus proche du latin classique, en particulier en restituant les consonnes, avec répercussion sur le français.

Cependant, du *Serment de Strasbourg* de 842 jusqu'au XIIe siècle, une littérature en langue vulgaire se crée, et c'est par là, non dans les écoles, qu'une transcription proprement française s'est fixée.

II. — L'ancien français : l'orthographe du « bel francois » (onzième-treizième siècle)

C'est vers le XIe siècle qu'a commencé cette fixation, peut-être grâce à une certaine stabilisation de l'évolution phonétique, toujours très rapide, du français.

Comment l'orthographe s'est-elle fixée ? Nous n'en savons à peu près rien (1). Y a-t-il eu, comme le

(1) Cf. cependant B. WOLEDGE, Un scribe champenois devant un texte normand : Guiot, copiste de Wace, *Mélanges Frappier*, Droz, 1970, II, pp. 1139-1154.

soutient Beaulieux, « une entente entre les jongleurs de chaque région dialectale », ou même des « écoles de jongleurs », où se serait élaboré un système graphique relativement unifié ? Il est vrai qu'à travers cette riche littérature de société qui fleurit chez nous au Moyen Age, on peut constater, d'un manuscrit à l'autre, un certain consensus sur les points essentiels. Ch. Beaulieux va beaucoup plus loin, allant jusqu'à affirmer qu'il y aurait eu « entente entre les scribes des différents dialectes de langue d'oïl » (1).

Cette affirmation est mise en doute par P.-F. Fournier (2), qui remarque qu'on ne sait « littéralement rien d'écoles de jongleurs au XIIe siècle, pas même s'il en a existé ».

Sans pouvoir affirmer l'existence de telles écoles, remarquons cependant que Beaulieux n'a pas tort en insistant sur la concentration probable de la diffusion des écritures : « Les écritures, dit-il, étaient aux mains d'une classe peu nombreuse de clercs lettrés qui établissaient les manuscrits des œuvres poétiques, chansons de geste, romans en vers, etc. » *(ibid.).* Ces clercs n'étaient pas toujours des moines, pas encore des fonctionnaires ; leur écriture est la belle minuscule caroline, utilisée dans l'ensemble de la Romania. Malgré la multiplication des dialectes, surtout dans le Sud, on est frappé de l'utilisation

(1) Ch. BEAULIEUX, *L'orthographe française actuelle, mélange de celle de Robert Estienne et de celle de Ronsard*, Bordeaux, Taffard, 1949, p. 4. En réalité, si l'on peut constater une certaine unification, très relative d'ailleurs, dans les pays de langue d'oc (pour lesquels on a pu parler de *koîné*, ou langue commune, orale et écrite), il ne semble pas en être de même dans le Nord, où l'entente s'est faite (là aussi très relativement, car la langue et l'orthographe restent très variables) beaucoup plus tard, sous la pression du français d'Ile-de-France.

(2) P.-F. FOURNIER, Sur l'origine des complications de l'orthographe française, dans *Le français moderne*, 1940, pp. 257-266 (nous noterons cette revue dorénavant *FM*).

d'une langue parfaitement maîtrisée, assez bien stabilisée, à l'oral comme à l'écrit. Où donc ces clercs avaient-ils appris à écrire ? Nous aurons à revenir sur ce point important, jusqu'à présent non résolu.

Examinons tout d'abord un passage bien connu d'*Aucassin et Nicolette* (XIIe-XIIIe siècle) (1) :

Texte	Traduction
Bel conpaignet	Beaux compagnonnets
Dix ait Aucasinet	Que Dieu aide Aucassinet
Voire a foi le bel vallet	Vrai par ma foi ! le beau garçon
Et la mescine au cors net	Et la jeune fille au joli corps
Qui auoit le poil blondet	Qui avait le poil blondet
Cler le vis et l'oeul vairet	Le visage clair et l'œil vairet
Ki nos dona deneres	Qui nous donna denerets (petits [deniers)
Dont acatrons gasteles...	Dont nous achèterons gâtelets...

Le consonantisme est déjà, comme on le voit, à peu de chose près celui d'aujourd'hui. Les consonnes finales se prononcent ; *gn* est marqué par *ign* (*conpaignet*) ; *s* intervocalique est encore parfois noté par *s* (*Aucasinet*) ; *k* note encore souvent [k], en alternance avec *c* (*cors*) et *qu* devant *e*, *i* (*qui*) ; *ts* (souvent noté par *z*) est déjà ici réduit à *s* (*deneres, gasteles*) ; *x* final sert d'abréviation pour *us* (*Dix*). Peu de lettres muettes, pas de lettres doubles (sauf *vallet*, pour *varlet*).

L'orthographe du « bel francois », dont on ne peut contester les qualités, présente cependant les défauts que nous avons déjà soulignés : elle reste dépendante de l'étymologie comme des facteurs de position (par exemple *c/qu*) ; elle a du mal à noter les voyelles, et surtout les diphtongues, essentiellement variables d'une région à l'autre. Le système vocalique de l'ancien français présente alors en effet une très grande richesse : en dehors des voyelles que nous

(1) *Aucassin et Nicolette*, Ed. Suchier, Paderborn, Schoeningh, 1899, 21, 5-16, texte reproduit dans *HLF*, I, p. 279. Les modernisations graphiques apportées par l'édition critique ont été supprimées.

connaissons encore et qui sont à peu près les mêmes qu'aujourd'hui, il connaît plus de quinze diphtongues (*au, ue, ui, eu, ou,* etc.) ou triphtongues (*ieu, uou,* etc.), qui évoluent rapidement. L'orthographe essaie de suivre ces transformations rapides jusqu'à la fin du XIIIe siècle, puis se fige, alors que l'évolution continue, et de ce fait l'écart entre l'écrit et l'oral ne cesse de grandir.

Un mot de la voyelle *E*, qui a toujours occupé dans notre système vocalique une place centrale : là où le latin ne connaissait qu'une seule voyelle, brève ou longue, l'ancien français en connaît déjà au moins trois, qu'on ne distingue pas encore à l'aide d'accents. D'où la nécessité d'employer des artifices qui ne vont pas cesser de se multiplier dans les siècles suivants : *ez* pour *e* fermé, *es* pour *e* fermé ou ouvert, consonne double après *e* ouvert, etc.

Malgré ces défauts, c'est là, dans les manuscrits de chartes, de chansons de geste, de fabliaux, de poésies et de romans, qu'on trouve le modèle de ce qui constituera à toutes les époques les fondations de notre orthographe, dans sa partie la plus stable et la plus conséquente.

III. — Le moyen français : la période gothique (treizième-seizième siècle)

Nous arrivons à présent à cette période mal connue, mais cruciale que l'on appelle le moyen français, période de transition entre l'ancienne langue et le français moderne.

1. **Les faits linguistiques.** — En même temps que disparaissent les anciennes structures, s'établissent les nouvelles caractéristiques de notre langue : bou-

leversement du *système nominal* (disparition, incomplète, des cas et apparition systématique de l'article); bouleversement du *système verbal* (disparition, incomplète comme la précédente, des flexions verbales, et apparition systématique du pronom) ; transformation de la *syntaxe*, qui devient de type « analytique », les morphèmes devenant mots-outils et acquérant en partie leur indépendance ; bouleversement de l'*ordre des mots* (ainsi Gerson écrit vers 1400 dans un sermon : « Dieu, en cui nom... », traduit un quart de siècle plus tard par un copiste en « Dieu, au nom de qui... ») ; enrichissement considérable du *vocabulaire*, par « relatinisation », les mots nouveaux et les dérivés étant puisés à pleines mains dans les sources latines, parfois grecques ; enfin et surtout, *évolution phonétique rapide*, qui éloigne plus que jamais le français du latin et des autres langues romanes (1).

Les dernières diphtongues disparaissent rapidement, amenant un *resserrement* du système vocalique, avec création de *phonèmes nouveaux*, différents de ceux du latin. Ces anciennes diphtongues ont laissé de nombreuses traces dans les graphies vocaliques du français : faute d'un graphème nouveau notant [ø] ou [œ], par exemple, nous avons gardé f*l*eur, c*u*eillir, œil, cœur, etc. Les voyelles nasales correspondant à *i* et *u*, qui étaient les plus récemment nasalisées, se dénasalisent les premières, ce qui fait qu'elles n'ont pas laissé de traces graphiques de consonnes doubles nasales *(une, cuisine)*. En revanche, celles qui correspondaient à *a* et *e* (qui rejoint *a*), d'abord notées parfois par le tilde (ã, ẽ), se sont dénasalisées plus tard, ce qui a laissé de nombreuses traces de consonnes doubles *(année, grammaire, prudemment*, encore prononcés [ãne],

---

(1) « C'est l'amuïssement des consonnes finales qui a amené la désintégration du système grammatical et cet accident est tout à fait particulier au français » (P. GUIRAUD, *Le moyen français*, p. 95, ici *Guir*.). On se demande aujourd'hui si ce n'est pas l'inverse, et si le bouleversement de l'ordre des mots et de la syntaxe n'a pas entraîné la disparition des consonnes finales et par là des marques orales, devenues inutiles (cf. Y. GALET, *L'évolution de l'ordre des mots dans la phrase française de 1600 à 1700*, Paris, PUF, 1971).

[grămer]. [prydămă], dans certaines régions de France). Il en est de même pour [õ], dont la dénasalisation est relativement récente (XVIe-XVIIe siècle). Les consonnes doubles nasales *nn* et *mm* après voyelles orales (dans *homme, femme, bonne,* etc.) doivent donc être considérées comme des graphies *historiques,* qui ont eu leur justification dans un système de langue qui n'est plus le nôtre (1).

Les groupes de consonnes, comme les diphtongues, disparaissent, amenant là encore l'ouverture de quantité de syllabes jusque-là fermées, à la différence du latin ou des autres langues romanes (d'où l'idée d'utiliser ces consonnes devenues inutiles à la notation déficiente des nouvelles voyelles).

Quelles sont les conséquences sur notre langue de ces multiples transformations ?

1) Un *raccourcissement* considérable du mot français, qui tend à devenir *monosyllabique* (la moyenne des lettres du mot français pris en discours est de 4 à 5 lettres seulement).

2) Un relâchement des liens entre le *français et le latin* : ces liens, on s'est efforcé de les maintenir à l'écrit ; plus notre langue s'éloignait de ses origines, plus l'orthographe, tel un corset, s'est efforcée de l'en rapprocher.

3) Une tendance à la *coupure entre radicaux et dérivés,* les premiers ayant subi une « usure » phonétique intense, les seconds étant formés plus ou moins directement sur les radicaux latins à différentes époques : l'exemple le plus célèbre est l'étymon *ape(m)*, « abeille », devenu *é*, mot trop court, vite remplacé par *avette, mouche à miel, abeille,* etc., suivant les régions ; les dérivés *abeiller, abeillage,* etc., disparaissent au profit d'*apiculteur, apiculture,* etc. Plusieurs strates s'opposent et se superposent ainsi dans l'ensemble de notre vocabulaire, ex. :

fait (XIIe s.)	façon (XIIe s.)	faction (1330)
raison (930)	rationnel (1120)	ration (1643)
chose (XIIe s.)	chosette (XIIe s.)	cause (XIIe s.)
	chosier (XVIe s.)	causalité (XIVe s.), etc.

4) Des *risques d'ambiguïté nombreux,* non seulement en lexique, mais aussi et surtout en discours. D'où la tendance à distinguer à l'écrit de nombreux *homophones,* comme *sain* (sanu), *saint* (sanctu), *cinq* (quinque), *sein* (sinu), *ceint* (cinctu), *seing* (signu), etc. D'autres graphies s'expliquent par des raisons plus complexes encore, qui tiennent à nos habi-

_____

(1) Ces consonnes doubles sont absentes des dérivés tirés directement du latin, d'où la fameuse opposition *honneur/honorable, sonner/sonore, donner/donation,* etc.

tudes graphiques : prenons, par exemple, le mot *cent*, distingué de *sent* (de *sentir*). Si l'on voulait garder le *c*, on ne pouvait l'écrire **cant*, ce qui aurait changé la prononciation ; de même on ne pouvait écrire **gans* pour *gens*, d'où le maintien (étymologique) de la graphie *en* dans bien des cas (1).

Qu'il y ait un rapport profond entre les phénomènes linguistiques que nous venons d'évoquer et les transformations considérables que va subir notre orthographe à partir du xiiie siècle, cela ne fait aucun doute. D'une part, on assiste en France, avec une meilleure prise de conscience linguistique du français et de ses origines, à un phénomène de *régression savante*, qui tend à dissocier de plus en plus les niveaux de langue, le français populaire et le français des lettrés ; d'autre part, et par-delà la diversification des régions et des parlers, ces lettrés vont s'efforcer d'atteindre à une *graphie nationale*, « invariante », à une orthographe « neutre », notant de préférence la forme *la plus longue du mot*, dans laquelle chacun puisse se reconnaître.

Mais, comme toujours en matière de langue, ces transformations se sont faites sur plusieurs plans à la fois. L'écriture, plus encore que l'oral, est le siège matériel où se condensent les faits de culture et de société. C'est par là qu'il nous faut passer pour tenter de comprendre un peu mieux comment s'est faite notre orthographe.

2. Ecriture caroline et écriture gothique. —
La première cathédrale gothique française, celle de Saint-Denis, a été construite en Ile-de-France (1135).

---

(1) Cf. dans N. C., *L'orthographe française à l'époque de la Renaissance*, Bibl. [3] (pp. xii-xvi, ici *Orth. Ren.*), une analyse critique à ce sujet des *Thèses* de BEAULIEUX, en ce qui concerne en particulier le moyen français ; sur les caractéristiques linguistiques du français expliquant dans une certaine mesure son histoire graphique, voir le résumé qui est fait dans N. C., La structure de l'orthographe française, *La Recherche*, n° 39, nov. 1973, p. 954 (ici *Rech.*).

Quant à l'écriture dite aussi, assez improprement, « gothique », il semble bien qu'elle soit apparue assez tôt également, dans la même région et dans le nord de la France : « L'élan décisif par lequel l'écriture se transforme dans une direction nouvelle, vers la gothique, vient selon toute vraisemblance du nord de la France ou du royaume anglo-normand » (1).

La prédominance du Nord dans les écritures ne s'est pas faite du jour au lendemain. Ce n'est que vers la fin du XIIᵉ siècle que les tracés gothiques commencent à se codifier, et se constituent en modèles, adoptés de plus en plus dans les éditions de livres, et supplantant l'ancienne caroline. Les faits, ici, sont complexes : il ne faut pas oublier qu'à cette époque la culture (essentiellement orale au Moyen Âge, où la lecture même se faisait à haute voix) (2) devient écrite, comme le droit, l'administration, etc. On assiste au XIIIᵉ siècle à une transformation complète des conditions culturelles en Europe : ce ne sont plus seulement, dans les *scriptoria* des monastères, des scribes soigneux qui transcrivent les manuscrits, posément, à peu d'exemplaires, pour eux-mêmes, leurs proches ou leurs protecteurs ; les nouveaux clercs sont des *séculiers*, et passent rapidement de quelques centaines à plusieurs milliers. Le commerce des livres devient florissant, aidé par l'utilisation nouvelle en France du papier de chiffon, la diminution des coûts, la diffusion des manuscrits littéraires en français, destinés à des couches plus larges (bourgeoisie marchande, noblesse), l'importance grandissante de la demande venue des universités, etc.

Les écritures individuelles se multiplient : « La différence essentielle entre les écritures gothiques et les écritures prégothiques, dit Lieftinck (*Nomencl.*, p. 11, note), tenait à la diminution du format, non du livre, mais des lettres, la justification

(1) M. B. BISCHOFF, La nomenclature des écritures livresques du IXᵉ au XIIIᵉ siècle, dans *Nomenclature des écritures livresques du IXᵉ au XVIᵉ siècle*, CNRS, 1954, p. 11 (ici *Nomencl.*). L'auteur donne un spécimen d'une écriture gothique primitive « presque livresque » du temps de Guillaume le Conquérant, pour saint Etienne de Caen, vers 1067-1075, c'est-à-dire très tôt.
(2) Au sujet de l'importance de l'introduction de la *lecture visuelle* dans la civilisation moderne, cf. H. MAC LUHAN, *La galaxie Gutenberg*, Mame, 1967. L'auteur soutient qu'après une période marquée par la prédominance incontestée de l'écrit (grâce à l'invention extraordinaire de l'imprimerie), nous retournons à une culture qui, comme celle du Moyen Âge, serait essentiellement orale, ce que l'évolution récente n'a d'ailleurs en rien justifié.

contenant plus de lignes qu'auparavant ; de là le besoin de donner au mot une individualité plus grande, nécessaire à sa lisibilité. » Quant au fond, nous pensons qu'il faudrait distinguer expressément deux domaines : celui des *actes* et celui des *livres*. Dans le premier, certaines écritures ont sans doute, très tôt, surtout dans les régions marginales dépendant de l'Empire et en contact avec les dialectes germaniques (Liège, Metz, etc.), été influencées par le « gothicisme » (essentiellement caractérisé par la « brisure » des courbes, *Fraktur*). En Italie, en revanche, dans des circonstances techniques et culturelles à peu près semblables, ces influences ont beaucoup moins joué, les écritures restent généralement arrondies et plus claires. L'aspect esthétique de ces brisures, qu'il est aisé de rapprocher des croisées d'ogives utilisées en architecture, le goût du changement, de modèles calligraphiques originaux, parmi les « professionnels » de l'écriture, rivalisant entre eux d'habileté et de dextérité, ont certainement joué aussi. Dorénavant, plusieurs types d'écritures se côtoient et se constituent chacun leur domaine propre (1).

3. Écriture et orthographe.

— C'est Ch. Beaulieux qui a, le premier, mis l'accent sur l'importance des rapports entre l'adoption, de plus en plus générale en France, des écritures gothiques ou bâtardes, et la transformation de notre orthographe. Cependant, il est allé trop loin dans ce sens, opposant à l'orthographe du xiie siècle (où il voit « une direction intelligente et une tradition » venue selon lui des « jongleurs ») la « cacographie » des clercs, véritables

(1) Plusieurs styles, et *plusieurs orthographes* se côtoient en moyen français, parfois chez le même scripteur, selon des usages et des normes qui nous échappent encore. Cf à ce sujet N. CATACH, G. OUY, De P. d'Ailly à J. A. de Baïf : un exemple de double orthographe à la fin du xive siècle, *Romania*, 1976, no 2, pp. 219-248. Il s'agit de plusieurs brouillons de la même lettre, écrite en 1397 par P. d'Ailly et ses secrétaires, dans plusieurs modèles d'orthographes, dont une plus élaborée, sans doute destinée à la publication. « Il existe, dit J. CHAURAND (*Histoire de la langue française*, PUF, 1972, p. 30), des habitudes graphiques. Il serait plus juste d'opposer à notre orthographe unique, fixée, *des* orthographes médiévales dont la multiplicité tient à divers facteurs : traditions d'écoles et d'ateliers, nature des ouvrages et du public. »

responsables de la « lèpre du praticianisme », thèse qui prévaut depuis en dépit de l'invraisemblance d'une telle conception.

« La hâte fébrile avec laquelle ils bâclaient leurs écritures, affirme Beaulieux, sans soulever la plume d'un bout de la ligne à l'autre (ils avaient la réputation d'être les scribes les plus rapides du monde) était cause qu'ils finirent par rendre leurs grimoires illisibles, *volontairement* [?], a-t-on dit, afin qu'on eût besoin d'eux pour les lire... » (*L'orthographe française actuelle...*, p. 10).

Il est indéniable que les juristes deviennent, à partir de Saint Louis déjà, au XIIIᵉ siècle, les véritables maîtres des écritures. Mais il n'y a guère de différence entre l'écriture des avocats et celles de leurs secrétaires. Une véritable armée de fonctionnaires (plus de 10 000 hommes, dit-on) rédige et multiplie les arrêts dans toutes les provinces. Ces édits, rédigés de plus en plus dans la langue du roi, c'est-à-dire le français, sont transcrits en *latin*, seule langue comprise dans l'ensemble du royaume. C'est un « gros latin ami des laïques », *grossum latinum pro laicis amicum*, dit un texte du temps. Le bilinguisme existant (latin et français, et aussi français à l'oral, latin à l'écrit), comme tous les bilinguismes, se traduit par la victoire de la langue dominante, la langue de culture. C'est celle de l'Eglise, de la Sorbonne, du Parlement, des savants et des humanistes, et pas seulement des clercs qui les servent. Il n'est pas étonnant qu'elle ait dominé jusque dans l'écriture du français. S'agit-il, comme le prétend Beaulieux, « d'un plan de la Chancellerie », de « directives données par le chancelier » ? Oui et non. Eliminons déjà l'hypothèse mesquine et absurde selon laquelle les praticiens « noircissaient le plus grand nombre de pages », parce qu'ils étaient payés « à la tâche ». P.-F. Fournier *(o.c.)* a déjà répondu qu'ils possédaient pour cela bien d'autres moyens, comme l'allongement des actes, les répétitions, la multiplication des synonymes, etc., dont les clercs usaient et usent encore dans les actes juridiques ; pourquoi, d'autre part, dans ce cas, auraient-ils multiplié les abréviations, qui pullulent dans les textes, et dont Beaulieux ne parle pratiquement pas ? Ces abréviations ont joué cependant un rôle non négligeable dans notre orthographe, en fixant si l'on peut dire l'*ossature* du mot français, calquée sur les consonnes latines les plus faciles à repérer, qui aidaient à la lisibilité (ainsi *l* dans *mlt*, de *multum*, qui se lisait *mout* en français, et qu'on a alors écrit *moult*). Quant à la Chancellerie royale, elle n'est certainement pas seule en cause, mais il est bien vrai qu'elle a joué un rôle de plus en plus grand au fur et à mesure que s'étendait le mouvement centralisateur de la monarchie française. Les spécialistes de paléographie sont d'accord sur un point : dans cet océan nouveau d'écritures régionales, sociales ou individuelles qui envahit l'Europe, alors que sévit en France la guerre de Cent Ans, avec la confusion et le recul général des conditions de stabilité de la période précédente, *le rôle des chancelleries européennes dans la formation et l'unification des orthographes nationales a été décisif*. Et un phénomène d'une grande importance se produit : l'introduction des habitudes de chancellerie dans l'écriture des livres : « C'est l'interpénétration de ces deux mondes [celui du livre et celui de l'administration]... la pénétration de ce dernier dans celui du livre, qui se trouve à la base de l'évolution de l'écriture livresque pendant les XIVe et XVe siècles » (*Nomencl.*, p. 16). Si nous voulons, par conséquent, analyser les rapports indéniables qui existent entre les processus d'évolution technique de l'écriture dite « de chancellerie » en France et l'orthographe du moyen français, qui est une des bases de notre orthographe moderne, il nous faudra porter dorénavant nos recherches sur l'*ensemble* des conditions du phénomène : « Le besoin de *facilité* et de *rapidité* dans le tracé, dit M. Cohen (*L'écriture*, p. 91), produit des usures de formes, quelquefois des remplacements. Le besoin de *clarté* assure des conservations et amène des réfections par compléments ou remplacements. Le besoin *ornemental* produit, suivant les cas, des simplifications ou des complications. Le choix et les transformations des tracés sont en relation dans le détail avec les *besoins sociaux*, dépendent des *corporations et des professions* en général, et des *moyens techniques* trouvés naturellement ou fabriqués »... [souligné par nous].

4. L'orthographe du moyen français.

— Nous voyons ainsi mieux se dessiner les impératifs réels et profonds qui, sur le plan social et technique, autant que psychologique, esthétique, linguistique, etc., expliquent les tendances nouvelles. Le premier caractère de l'orthographe du XIVe au XVIe siècle est qu'elle s'éloigne du phonétisme pour prendre un aspect plus « idéographique ». Une des raisons en est la contradiction, soulignée par M. Cohen, entre le caractère *rapide et cursif* de l'écriture et l'impératif de *lisibilité* : d'un côté, les lettres et les mots se rejoignent, les ligatures, les accolements, les abréviations se multiplient ; de l'autre, les boucles et les jambages s'allongent, les signes et les repères aident à mieux distinguer des tracés trop semblables, des syllabes et des mots différents.

Un des procédés les plus curieux qui accompagnent les nouvelles écritures est celui des *variantes calligraphiques de position* : le *s* rond final et le *S* long (initial ou médian), usage qui remonte à la fin du XII⁰ siècle ; le *i* accentué puis pointé, le *I* long ou *J*, notant, suivant leur position, nos *i*, *y* et *j* actuels ; le *V* à l'initiale, notant indifféremment *u* et *v*, le *u* à l'intérieur, notant également *u* et *v*, etc. Ces habitudes (qu'il faut peut-être rapprocher de l'usage encore actuel des majuscules au début des substantifs en allemand) vont avoir une conséquence importante : on prend l'habitude de déchiffrer chaque lettre d'après sa position dans le mot. Toute une série de consonnes (que l'on savait muettes) servent de *repères diacritiques*, et on les puise tout naturellement dans le mot latin correspondant. La réflexion grammaticale entraîne de son côté l'habitude des rapprochements *analogiques* et, inversement, des *distinctions* de sens à l'aide de divers procédés graphiques, etc. Il est nécessaire, à ce sujet, d'insister sur un point : *l'étymologie, bien souvent, n'est pas une fin, mais un moyen.* Ch. Beaulieux lui-même, tout comme Clédat, F. Brunot, Dauzat, etc., a remarqué combien cette « consonisation » à outrance (entièrement graphique, notons-le, car jamais on n'a moins prononcé de consonnes qu'à l'époque où l'on en écrivait le plus) fait fi, bien souvent, de l'étymologie latine, pourtant déjà connue. On sait, par exemple, que le *h* de *huile, huis, huit, huistre (oleum, ostium, octo, ostreum)*, loin d'être d'origine latine, servait uniquement à signaler que le *u* initial était voyelle. Le *x* final, abréviation de *us*, pas plus que l'*y* calligraphique ou le *z* muet, n'ont rien de latin. Les procédés les plus courants, comme le *s* notant la prononciation de l'*e* précédent, l'usage des consonnes doubles nasales etc., sont français. Pourquoi, par exemple, a-t-on rétabli *l* après *u* dans des mots comme *enuieulx, ennuyeulx*, ou dans *peult, moult*, etc. ? R. Estienne (qui savait fort bien que *l* vocalisé était déjà noté par *u*) nous dit qu'il s'agissait « qu'on ne die *pe-ut* en deux syllabes, *mo-ut* », c'est-à-dire que *l* servait à dis-

→ fenestre → fenêtre
(indik le 'timbre' du [e] ?)

tinguer le diagramme précédent. Dans *subiect* (sujet), *debuoir*, *adiectif*, *aduenir*, *brefue*, etc., le *b*, le *d*, le *f* servaient à distinguer le *i* ou le *u* consonnes qui suivaient, et qui commençaient la syllabe, etc. On peut expliquer ainsi la plupart de ces consonnes, qui ont été ensuite remplacées par des accents, ou sont devenues inutiles en raison des améliorations techniques de l'imprimerie (1).

5. Orthographe, littérature et société. — Les explications que nous pouvons apporter à ces procédés visuels, d'une extrême complication (qui étaient à l'origine restreints à ce que l'on appelle aujourd'hui un langage de groupe, et se sont trouvés portés au plan national par une série de circonstances), n'ont rien d'une justification.

On voit combien l'absence d'un alphabet adéquat, la difficulté (d'ordre culturel, social et religieux, le latin étant la langue de l'Eglise) de toucher à l'alphabet initial, chose qui ne semblait même pas concevable, conduisaient à une impasse, alors que grandissaient pourtant de jour en jour les exigences nouvelles d'une nation en formation.

Il faudrait également, ce que nous ne pouvons faire ici, mieux situer l'histoire de cette époque, avec la *décadence des cultures méridionales*, la *prédominance nouvelle de Paris*, son *relatif isolement* au XIVe siècle du fait de la guerre, de l'invasion, l'*effort énorme d'unification de la langue* qui accompagne cette centralisation, etc. Nous voudrions seulement souligner deux faits qui nous semblent importants et n'ont pas été suffisamment étudiés : le rôle de

---

(1) Cf. dans N. C., *Orth. Ren.*, pp. 150-151, la comparaison d'un même texte de Cl. Marot dans cinq éditions successives (1532, 1534, 1542, 1546, 1549, 1573). D'une édition à l'autre, les consonnes diacritiques disparaissent : tous les z finals du pluriel ; les consonnes finales devant s du pluriel ; le g final de *unq*, *tesmoing*, *Maling* ; le l de *veulx*, *mieulx*, *eulx*, *cieulx*, *hault*, etc. ; le b de *doibuent* ; le c de *parfaict*, *sanctifié*, *faict*, *sainct* ; le d de *aduenture* ; le p de *escriptz*, devenu *escrits*, etc.

plus en plus prédominant d'une nouvelle institution, l'*Université* ; le rôle (négatif) qu'a joué l'absence, au moment de la mise en place de la langue française actuelle, d'une *littérature d'ampleur nationale*.

Sur le premier point, nous renvoyons à la thèse d'I. Haynal (1). Ces clercs, dont nous avons dit le rôle, étaient depuis le XIIIᵉ siècle « suppôts de l'Université », dont ils dépendaient pour leur formation (écriture comprise) et pour leur carrière. Sur le deuxième point, et sans sous-estimer le rôle important qu'ont pu jouer tous ceux qui, humanistes ou grands traducteurs, ont développé et enrichi la langue « vulgaire », il nous semble évident qu'une des différences essentielles qui opposent à cette époque la France et, par exemple, l'Italie, se situe sur le plan littéraire : la première étant aux XIVᵉ-XVᵉ siècles encore entièrement soumise au « bilinguisme culturel » alors que la seconde possède déjà une littérature reconnue, qui a servi très tôt de modèle, en particulier *La divine comédie* de Dante (1300). Ce facteur, tout autant qu'une évolution moins rapide et plus régulière de l'italien, explique peut-être que cette langue n'ait pas subi, sur le plan graphique, les modifications profondes que nous venons d'étudier. Quoi qu'il en soit, dans la période suivante, deux facteurs directement liés à l'orthographe vont se trouver réunis et amener de considérables transformations : l'apparition, sur le plan technique, de l'imprimerie, et sur le plan culturel, d'une véritable littérature nationale.

(1) I. Haynal, *L'enseignement de l'écriture aux universités médiévales*, Budapest, 1954. L'Université, qui se chargeait non seulement de l'enseignement secondaire et supérieur, mais de l'enseignement primaire, a joué selon lui, dans la diffusion des nouvelles écritures, « un rôle central, un rôle dirigeant ».

Chapitre II

LES DEUX RENAISSANCES
(XVIᵉ ET XVIIᵉ SIÈCLES)

L'effondrement des structures de l'ancien français, l'évolution vers le français actuel, qui caractérisent la période que nous venons d'étudier, n'étaient pas achevés au XVIᵉ siècle, et *ne se sont jamais achevés*. Une des caractéristiques du français est précisément qu'il n'a jamais entièrement rompu avec le système de l'ancienne langue, tout en connaissant une évolution originale et très rapide sous tous ses aspects, phonétique, morphosyntaxique, lexical. Fait très important sur le plan de notre orthographe, qui a retenu, sur le plan morphologique en particulier, *les marques finales anciennes auprès des marques nouvelles*.

I. — Le seizième siècle : la Renaissance

Il n'y a pas, au XVIᵉ siècle, *un* français, mais *des* français. Notre langue centrale n'a pas encore effacé les dialectes, et n'y est jamais parvenue complètement. L'opposition entre les « deux France » (celle d'oïl et celle d'oc) est alors beaucoup plus réelle qu'aujourd'hui. En français même, les variations régionales et individuelles sont importantes, pour les voyelles notamment : évolution des voyelles nasales, degré d'ouverture, de timbre et de longueur des autres voyelles, distinction des différents *e*, et surtout degré de réduction des diphtongues (1). L'influence de l'orthographe (notamment par la restitution des groupes de consonnes) commence à se faire sentir : on discute s'il faut dire *amonester* ou *admonester*, *sutil* ou *subtil*, *calonnier* ou *calomnier*, *aministration* ou *administration*, etc. (E. Pasquier discutant Des Essars, cf. N. C., *Orth. Ren.*, p. 64). Une langue écrite plus ou moins élaborée commence à s'opposer à la langue parlée, jouant le rôle tenu jusque-là par le latin. Les régressions observées durant le moyen français s'accentuent, et on a pu se demander si elles n'étaient pas en grande partie profondément artificielles (2). La forte influence de l'école, l'action persévérante des humanistes pour améliorer la prononciation du latin et la façon dont on l'écrivait, tout cela ne manque pas d'influer sur la prononciation et l'orthographe du français. En bref, en même temps que l'opposition sociale et linguistique grandit entre les domaines du latin et ceux du français, grandit également l'écart entre le français écrit et le français parlé : ces problèmes de la langue moderne sont déjà pour la plupart posés avec force. D'où une situation de déséquilibre, et une sorte de « coexistence de formes appartenant à deux systèmes linguistiques différents » *(Guir.)*, qui

(1) Ces variations de prononciation sont une des raisons qui se sont toujours opposées aux efforts des phonétistes. Meigret, par exemple, était de Lyon. Il prononçait (et écrivait) *caose, aosi, nouveaoté*, etc., et Péletier lui en fait reproche (cf. N. C., *Orth. Ren.*, pp. 87-95, et reprod., pp. 285 et 423).

(2) Cf. *Guir.*, p. 21 : « C'est là un des traits les plus typiques de notre langue moderne, qu'elle n'a pas eu une croissance libre et naturelle, mais qu'elle s'est trouvée, dès l'époque de sa formation, placée sous le contrôle des érudits et des grammairiens qui ont artificiellement infléchi, hâté, ralenti, voire arrêté le cours normal de son évolution. »

va entre autres gêner considérablement la fixation de notre orthographe.

1. Rôle des imprimeurs : l'orthographe typographique (orthotypographie). — La lutte pour la fixation du français écrit se mène d'abord dans les ateliers. Dès le premier quart du XVIᵉ siècle, les imprimeurs français, rejetant les caractères gothiques et adoptant les caractères romains, engagent la France dans la voie des réformes. Comme leurs prédécesseurs, clercs et scribes (ce sont souvent les mêmes qui se sont reconvertis), ils pensent et parlent autant en latin qu'en français. Mais ils sentent le besoin de doter la langue nationale de l'instrument graphique dont elle a besoin. Après quelques tâtonnements, ils renoncent à la copie textuelle des manuscrits, aux excès et aux signes de dégénérescence de l'écriture manuscrite. Les mots se séparent, les caractères sont nettement distincts, les ligatures et les abréviations disparaissent, et un système progressivement normalisé de majuscules, de signes de ponctuation, d'accents se met en place, remplaçant les procédés compliqués de lettres adscrites, plus commodes à l'écriture manuscrite.

Ces progrès ont été aussi rapides que difficiles : G. Tory, revenant d'Italie (dont on ne saurait dire à quel point l'influence a été, sur ce point comme sur bien d'autres, bénéfique, parce qu'elle a permis de renouer avec les traditions romanes de notre langue), en ramène le dessin de nouvelles lettres, issues de l'écriture « humanistique » de la Renaissance italienne, avec retour à la belle lettre « ronde » dite « à l'antique ». Il publie le *Champfleury* (1529) qui aidera à former des générations de graveurs, surpassant bientôt leurs maîtres en beauté et en virtuosité (R. Granjon, Cl. Garamond, etc.). A l'exemple des Italiens et des Espagnols, qui utilisaient déjà certains caractères accentués et signes de ponctuation, il préconise l'emploi de la cédille, de l'apostrophe, voire des accents. « En nostre langage francois (dit G. Tory dans le *Champfleury*) nauons point daccent figure en escripture et ce pour default que nostre langue nest encore mise ne ordonnee a certaines Reigles comme les Hebraique Greque et Latine. Ie vouldrois quelle y fust ainsi que on le porroit bien faire » (52 r°).

On peut se rendre compte, par ce court passage, de l'importance des réformes qui vont suivre et transformer l'aspect des textes en moins de vingt ans. Robert Estienne, après avoir adopté l'accent aigu à la finale (1530), refuse à Tory d'aller plus loin, et celui-ci, au prix de difficultés sans nombre, met plus de trois ans à réaliser la modernisation qu'il souhaitait (4ᵉ édition de *L'adolescence clémentine*, de Cl. Marot, 7 juin 1533). Avec l'aide de Cl. Marot, G. Tory inspire et peut-être rédige la *Briefue Doctrine pour deuement escripre en langage francoys* (1), ouvrage de métier où se trouvent pour la première fois enseignés aux imprimeurs et aux usagers les signes auxiliaires et les accents qui vont permettre certaines simplifications ultérieures : l'ébranlement du système traditionnel a été donné par un typographe.

Typographes aussi, E. Dolet (1540) qui mourut brûlé, les Wechel (éditeurs de Meigret, de Foclin, de Ronsard, de Baïf, de Ramus, etc.), J. de Tournes (éditeur lyonnais et ami de J. Peletier, qui, sous l'influence de ce dernier, va adopter le premier de façon conséquente une orthographe quasi moderne, ainsi que le *j* et le *v* proposés par les phonéticiens, cf. *Œuvres* de Marot, 1558), Chr. Plantin, éditeur français installé à Anvers, héritier des innovations graphiques et typographiques de la Renaissance, qui va à son tour transmettre ces innovations à plusieurs générations d'imprimeurs belges et hollandais éditant en français (les Waesberghe, les Elzevier), etc. (2).

2. Les écrivains : l'orthographe de la Renaissance. — C'est donc en *accord* avec les imprimeurs d'avant-garde, et non contre eux, qu'ont pu être publiées les œuvres de la Pléiade, les traductions, les œuvres scientifiques et techniques de la Renais-

(1) Reproduite en annexe de la thèse secondaire de Ch. BEAULIEUX, *Les accents et signes auxiliaires*, Champion, 1927. On y trouvera également la partie concernant les Accents du traité d'E. Dolet. Pour la partie concernant la ponctuation, cf. N. C., *Orth. Ren.*, appendice II, et *La ponctuation, histoire et système*, coll. « Que sais-je ? », PUF, 1994, pp. 29-32.

(2) Sur les efforts constants des mouvements de Réforme religieuse dans toute l'Europe, y compris en France, pour fixer et moderniser l'orthographe au XVIᵉ siècle, cf. S. BADDELEY, *Réforme et Ecriture*, Droz, 1993.

sance. Ronsard prend la tête du mouvement réformateur, se proclame disciple de Meigret et de Péletier, et il est largement suivi.

D'après les sondages effectués sur 255 auteurs, 41 % (surtout des poètes) auraient à l'époque suivi l'orthographe de Ronsard ou une orthographe réformée, 43 à 44 % (dont Amyot, A. Paré, etc.) une orthographe moyenne, modernisée, soit 84 à 85 %, contre 14 à 15 % seulement l'orthographe ancienne (*Orth. Ren.*, p. 250) (1). Quelles sont les caractéristiques de cette « orthographe de la Renaissance » ? Tout d'abord, on est frappé par la beauté des impressions, le choix des caractères, le soin nouveau apporté à la correction, toutes choses qui, comme nous l'avons dit, seront toujours la condition nécessaire, sinon suffisante, d'une orthographe modernisée. Sans tomber dans les bouleversements réclamés par les phonéticiens, les poètes, après Ronsard, reprennent contact, peut-être instinctivement, avec l'orthographe des chansons de geste, oubliée durant trois siècles. Ils éliminent beaucoup de lettres adscrites et utilisent les accents. Ils tendent à supprimer les lettres grecques et doubles, éliminent l'emploi de *y* pour *i*, du *z* marquant *e* fermé, du *x* muet final. Ils remplacent *en* prononcé [ã] par *an* dans bien des cas, etc. Ces réformes, que l'on retrouve aussi chez certains prosateurs comme Montluc, Bounin, D. Sauvage, A. Burrier, L. Joubert, et surtout Montaigne, seront reprises au XVIIIe siècle par l'Académie, mais en partie seulement. Elles mériteraient aujourd'hui encore d'être appliquées, car elles sont dans la véritable tradition du français.

3. R. Estienne et la lexicographie. — Mais les imprimeurs du roi, suivant l'exemple de R. Estienne et de ses continuateurs, reprennent les choses en main. Les guerres de religion chassent de France beaucoup de ces typographes d'avant-garde, souvent trop remuants et soupçonnés de protestantisme. A la fin du siècle et jusqu'en 1640 (fondation de l'Imprimerie royale par Richelieu), le monde de

(1) Il s'agit là en général des œuvres littéraires nouvelles publiées en *français*. Mais il ne faut pas oublier qu'une forte proportion de textes et d'ouvrages, surtout spécialisés, sont encore à l'époque publiés en latin.

l'édition connaît une crise, la qualité des livres régresse à tel point que le pouvoir royal s'en émeut. Les erreurs, les coquilles, l'ignorance des règles les plus élémentaires vont de pair avec le retour à l'orthographe la plus archaïque.

Faut-il, là encore, incriminer la personnalité de R. Estienne, premier lexicographe de son temps ? C'est ce que fait Ch. Beaulieux, accusant le grand homme (« bon humaniste, excellent imprimeur, travailleur acharné » reconnaît Beaulieux lui-même) d'avoir « couvert, patronné et reconduit... l'orthographe des praticiens... ». Effectivement, le *Dictionaire francoislatin* (1549), qui avait été conçu comme devant servir entre autres choses de modèle d'orthographe, a joué ce rôle, et se trouve à l'origine de toute une lignée de dictionnaires plus ou moins officiels (comme le *Thresor* de Nicot, 1606, et les *Dictionnaires de l'Académie*) où sont consignées les tendances principales de « l'orthographe ancienne ». R. Estienne suit les « anciens scavans... qui en scavoyent plus que nous ». Il pratique les principes de *distinction* des homonymes et de *rapprochement* des mots apparentés, il est le premier à mettre en avant non pas seulement le parallélisme plus ou moins connu de lui avec le latin, mais l'*usage*, c'est-à-dire la tradition, une *certaine* tradition comme nous l'avons vu. Ce dernier critère servira dorénavant de refuge quand tous les autres feront défaut. Pourtant, il a aussi ses idées. Il imagine des règles pour justifier et normaliser l'état de choses existant. Ainsi, il a tendance à ne garder y que dans les diphtongues *ay*, *oy*, *uy*, et pour noter *i* voyelle. Il étend l'usage de *s* pour noter *e* fermé ou ouvert, dans *esgal*, *escrire*. Il pratique largement le redoublement de *l* et de *t* après *e* plus ou moins ouvert, sans tenir compte de l'étymologie : ainsi il écrit *appeler*, *appelle (appellare)*, *chandelle*, *comette*, *planette*, *mortelle*, *secrette*, etc. Il remplace systématiquement l'ancien tilde par le redoublement de *n* ou de *m* *(honneur)*, rétablit les lettres grecques, etc. Hostile aux accents, excepté à la finale (et un seul par mot, comme il le voyait faire dans les manuels latins), il est bien vrai qu'il est le dépositaire d'une certaine conception de l'orthographe française. Mais le dépositaire seulement, non le créateur.

II. — Le dix-septième siècle : les classiques

Il eût été étonnant que le XVIIᵉ siècle, qui a tant policé la langue, ne soit pas intervenu aussi sur le terrain de l'orthographe. Au fur et à mesure que la langue s'ordonne et se répand, la fixation de l'orthographe devient moins aléatoire.

Notre langue centrale achève de devenir elle-même. Les diphtongues ont pratiquement disparu (sauf des mots comme *au*, *eau*, *beau*, dans certains cas). Les consonnes finales ne sont en général plus prononcées, même à la pause (sauf *r*, *l*, *s*, où les choses sont plus complexes), faisant place à de nouvelles oppositions de longueur.

Avec la nouvelle floraison littéraire de la deuxième partie du siècle, les éditions s'améliorent, et les écrivains reviennent tout naturellement aux habitudes graphiques de la Renaissance. Cet aller et retour du « modernisme » au « conservatisme » est constant dans l'histoire de notre orthographe.

Les progrès, là encore, ne se sont pas faits sans lutte. De nombreux réformateurs (Poisson, L'Esclache, Lartigaut) reprennent le flambeau dressé par Meigret, Péletier et Ramus. Deux traditions s'opposent et s'équilibrent : celle des « modernes », grammairiens, éditeurs, créateurs de la langue (plus ou moins soutenus par Vaugelas, Ménage, Perrot d'Ablancourt, Patru, Richelet) et d'autre part, celle des « anciens », clercs, praticiens, maîtres d'écriture, gens de lettres, officiers royaux, maîtres des écritures officielles (1). Les dictionnaires aussi sont partagés : celui de J. Nicot, en 1606, recueille encore à la fois la tradition de Ronsard et celle de R. Estienne. Le P. Monet publie à Lyon des dictionnaires en orthographe réformée largement répandus dans les écoles (1625-1630). Richelet, enfin, publie en 1680 le premier véritable dictionnaire français, recueillant largement l'héritage

---

(1) Cf. à ce sujet la thèse de L. Biedermann-Pasques, *Les Grands courants orthographiques au XVIIᵉ siècle et la formation de l'orthographe moderne*, Niemayer, 1992. Sur l'*Orthographe des classiques*, cf. la thèse de J.-Chr. Pellat, à paraître.

des écrivains et des réformateurs de son temps : maintien des marques morphologiques essentielles, modération des tendances analogiques et étymologiques, mais simplification des consonnes doubles, suppression des lettres adscrites, compensées par l'emploi des accents aigu, grave (en partie) et circonflexe, suppression des lettres grecques, etc., telles sont quelques-unes des innovations (issues en droite ligne de la tendance phonétisante des siècles précédents) présentées par Richelet, lequel est, notons-le, non en rupture avec son milieu et son temps, mais en accord avec eux.

Les grandes maisons d'édition, obligées de rivaliser avec les concurrents hollandais (Waesberghe, Elzevier), modernisent, avec le plus souvent l'accord des auteurs, l'orthographe de Vaugelas (*Remarques sur la langue française*, P. Le Petit, 1647), de La Bruyère (chez Michalet), de Racine et de Boileau (cf. *Œuvres diverses*, Thierry, 1675), de Bossuet (*Oraison d'Henriette-Anne d'Angleterre*, Cramoisy, 1670), etc. Beaucoup d'auteurs (et d'éditeurs) s'intéressent aux réformes, Bossuet par exemple. Corneille, en particulier, joue un rôle non négligable en ce domaine : il se déclare, en 1663, en faveur de l'emploi de l'accent grave, préconise l'emploi du *s* au lieu de *z* comme signe de pluriel (*amitiés* et non *amitiez*), et utilise le *j* et le *v*, qu'il fait adopter par l'Académie. En France, les progrès sociaux, littéraires et orthographiques vont souvent de pair.

Chapitre III

VERS L'ORTHOGRAPHE D'ÉTAT

Première édition de l'Académie (1694)

Ce qui s'était déjà produit au XIIIe et au XVIe siècle se produit de nouveau : c'est l'orthographe des greffes royaux qui est en principe choisie par la nouvelle Académie française, créée par Richelieu en 1635. La prise de position des *Cahiers* de Mézeray, chargé par l'Académie de déterminer les règles d'orthographe à suivre dans le *Dictionnaire*, est suffisamment explicite à cet égard : « La Compagnie, dit-il, déclare qu'elle désire suivre l'ancienne orthographe qui distingue les gens de lettres d'avec les ignorans et les simples femmes... » (1). On ne saurait sous-estimer l'importance d'une telle décision, qui n'avait en soi

(1) Les femmes avaient rarement droit au latin. Elles ont souvent lutté aux côtés des modernistes, depuis Marguerite de Navarre (protectrice des imprimeurs et des poètes) jusqu'à Mme de Rambouillet ou Mme du Deffand. Leurs attaques agaçaient les grammairiens. Ainsi, l'orthographe des Précieuses, que F. Brunot lui-même ne semble pas prendre au sérieux, n'était effectivement pas une invention de salon, comme le prouve le *Dictionnaire* de SOMAIZE. Mme de Sévigné, brocardée traditionnellement pour son orthographe, et taxée (bien à tort) d'ignorance et de légèreté, mérite d'être réhabilitée : élève de Ménage, elle présente tout simplement les traits de la prononciation et de l'orthographe de son temps et de son milieu, avec un usage modernisé et bien supérieur à la moyenne des manuscrits de l'époque (consonnes muettes supprimées en grand nombre, ainsi que certaines consonnes doubles, mots grecs francisés, *ai* pour *oi*, *s* pour *z* final, suppression du *h*, ex. : *orison* pour *horizon* ; *an* pour *en*, ex. : *tandresse, assamblée*, etc.). On retrouve aisément ici l'influence des réformateurs de son temps, eux-mêmes en accord avec les traditions du Moyen Age et de la Renaissance (cf. *Orth. Ren.*, p. 243).

rien d'obligatoire, et qui prouve que, contrairement aux lois phonétiques, les lois graphiques relèvent bien de décisions humaines. Ce n'était pas Meigret, ni même Péletier, qui pourtant ont ouvert la voie, c'était Ronsard qu'il fallait suivre, et l'usage qui lui était lié était là, bien vivant. La royauté, ouverte cependant sur bien des points aux exigences de son temps, a choisi ici les « gens de lettres » contre les écrivains.

Il ne faut pas croire cependant, comme le laisse entendre Beaulieux (1), qu'il s'agissait pour l'Académie de s'en tenir encore à l'orthographe de R. Estienne. Plus d'un siècle avait passé, et la chose n'était plus possible. Si elle ne s'attacha pas, comme sa collègue italienne, l'Académie Della Crusca, aux préceptes des meilleurs littérateurs et grammairiens de son temps, elle en comptait cependant qui, comme Perrault ou les Corneille, ne manquèrent pas de lui donner de bons conseils. Si l'on compare le *Dictionaire francoislatin* de R. Estienne (1549) ou même celui de Nicot (1606) à celui de 1694, on est frappé de constater les changements : distinction, tout d'abord, du *j* et du *v*, peu systématique dans l'ordre alphabétique, mais efficace par ailleurs. Cette adoption va permettre la chute de toute une série de consonnes ou de signes chargés de distinguer les deux graphèmes manquants : *avril* (pour *apuril*), *ajouter* (pour *adjouster*), etc. La première édition de l'Académie élimine quantité de consonnes plus ou moins « étymologiques », à la finale surtout (*nud*, *bled*, *conioinct*, *construict*, *cuict*, etc., deviennent *nu*, *blé*, *conjoint*, *construit*, *cuit*, etc.). Elle n'admet pas l'accent intérieur, et conserve partout le *s* muet qui joue entre autres le même rôle, mais elle écrit *baume* (pour *bausme*), *couture* (pour *cousture*), *dégainer (desgainer)*, etc. Elle simplifie *quadran*, *quadre*, *quarré*, *quarreau*, supprime le *g* final de *tesmoing*, *ung*, *maling*, etc., adopte *gn* au lieu d'*ign* ou *ngn* (*charongne* devient *charogne*), renonce à *y* initial devant *v* (*yver*, *yvoire*, *yvre*, *yvroye*, etc.), élimine un grand nombre d'anciens hiatus (dans *aage/âge*, *rheume/rhume*, *sceel/scel*, etc.). Une des tendances les plus frappantes de l'orthographe « moderne » est, par exemple, le remplacement de *en* par *an* dans beaucoup de mots (*endouille*, *dedens*, *embassade*, *empoulle*, *arrenger*,

(1) *Observations sur l'orthographe de la langue francoise*, public. du manuscrit de MÉZERAY, Paris, Champion, 1951 (ici *Observ.*).

bende, etc., deviennent *andouille, dedans, ambassade, ampoulle,* etc.). *Dans l'ensemble, l'évolution graphique enregistrée entre Nicot (1606) et la première édition de l'Académie (1694) est presque aussi forte qu'entre la première et la troisième édition, 1740 (24 %)* (1).

Mais l'œuvre de l'Académie, malgré les réformes d'ensemble dont nous avons parlé, souffre des conditions de sa fabrication : le malheur a été que Vaugelas, qui l'a commencé, soit mort alors que le *Dictionnaire* n'en était qu'à ses débuts ; œuvre de plusieurs mains, repris et remanié durant près de soixante ans (et soixante ans qui marquent un renouvellement complet de l'usage), terminé par Régnier-Desmarais, il présente un degré d'incohérence qui n'a sans doute jamais été atteint par ailleurs. Le classement des mots par familles, retenu par l'Académie, conséquence d'un choix linguistique délibéré (et significatif sur le plan de l'orthographe), nécessitait un système de renvois dont la complexité technique et les bases étymologiques se sont révélées au-dessus des moyens dont elle disposait. D'où l'incroyable multiplicité des erreurs et variantes, accrue encore par la contradiction entre le nouvel usage et l'ancien, parfois chez le même académicien : Régnier-Desmarais, secrétaire perpétuel, préconise par exemple une orthographe des participes *(ants, ents)* qu'on ne retrouve pas dans la *Dédicace* et la *Préface (ans, ens)* ; la *Table* ne présente pas la même orthographe que le *Dictionnaire* lui-même, etc. Tout contredit, dans les faits, le choix arbitraire de « l'an-

(1) Sur cette édition et celles qui suivent, cf. N. C. [3], thèse secondaire, et le *DHOF (Dictionnaire historique de l'orthographe française),* [Bibl. 4], Larousse, 1994. Dépouillements de base : 250 000 formes graphiques, tirées des huit éditions des *Dictionnaires* de l'Académie, ainsi que de R. Estienne (1549), J. Thierry (1564) et Nicot (1606).

cienne orthographe » qui a été fait. Et pourtant, ce choix va déterminer par la suite l'histoire graphique de la France...

Deuxième édition (1718)

On ne saurait s'étonner que la deuxième édition (1718), rédigée également sous l'autorité de Régnier-Desmarais, se situe dans la lignée de la première, les mots étant mis cependant, à la demande générale, en ordre alphabétique. Mais le fossé, déjà grand, qui séparait l'Académie de l'opinion s'est démesurément élargi.

A la fin du règne de Louis XIV, l'essor des éditions, dû en particulier à l'extension toujours plus forte du prestige littéraire et culturel de la France, emporte les anciens usages manuscrits comme une lame de fond. Le grammairien Buffier, au début du XVIIIe siècle, affirmera (ce que tous les sondages confirment) que les deux tiers des ouvrages imprimés suivent la nouvelle orthographe (1). C'est donc à contre-courant que Régnier-Desmarais, qui a dirigé l'Académie de 1684 à 1713, publie, à la demande de celle-ci, son volumineux *Traité de la grammaire française* (1706). Plus « intégriste » encore que Mézeray, il tente de plaider, en vain, la cause perdue de l'ancienne orthographe. Il vitupère contre les réformateurs et repousse tout argument fondé sur l'incommodité d'une orthographe savante : « Où en seroit-on, dit-il, dans chaque Langue, s'il en falloit reformer les elements et la difficulté que les enfants auroient à bien retenir la valeur... de chaque caractere... et si parce que quelques femmes en confondent quelques-uns en lisant, il falloit aussi-tost remedier à cela par un changement universel de l'orthographe ? » (p. 102). Le seul chapitre des consonnes doubles constitue chez lui un véritable traité, où il les passe interminablement en revue, sans apporter pour cela le moindre début d'éclaircissement à ce difficile problème.

(1) P. BUFFIER, *Grammaire*, 1re éd., 1700 : « La nouvelle orthographe s'autorise de jour en jour : car je l'ai trouvée dans plus des deux tiers des livres qui s'impriment depuis dix ans... » Buffier cite plus de vingt membres de l'Académie française, nos plus grands écrivains, plusieurs dictionnaires célèbres, etc. Les *Mémoires de Trévoux*, en août 1719, publient un « Plan d'une ortographe *(sic)* suivie par les imprimeurs » qui fixe, à peu de choses près, les réformes reprises ensuite par l'Académie.

Une exception cependant : Régnier reprend à son compte une théorie commode pour expliquer certaines disparates entre consonnes simples et consonnes doubles : ces dernières marqueraient, selon lui, la *brièveté de la voyelle précédente*. Il est vrai qu'une classification de ce genre avait été tentée à plusieurs reprises (au XVIIᵉ siècle, et déjà au XVIᵉ siècle) sans résultat, du fait des contradictions et des disputes qui ont toujours existé chez les grammairiens au sujet des oppositions de longueur en français. Cette théorie est contredite par les faits : s'il est vrai qu'il n'y a jamais, en règle générale, de consonne double en français après voyelle « longue » (surmontée d'un accent circonflexe), l'inverse est bien loin de se vérifier ; et l'on a très souvent des voyelles « brèves » non suivies de consonnes doubles. Elle a malheureusement été reprise plus tard par l'abbé d'Olivet (*Prosodie française*, 1767, art. I et IV), ce qui l'a, fait important, empêché d'effectuer une réforme valable des consonnes doubles (1).

Troisième édition (1740)

Mais les temps ont changé. Les traditionalistes doivent enfin reculer, les philosophes entrent à l'Académie. La majorité des académiciens (dont font partie Bouhier, Montesquieu, Marivaux, puis Voltaire, Buffon, d'Alembert, etc.) est décidée à regagner le temps perdu et à rattraper l'usage, qui est allé « plus vite et plus loin qu'elle ». On nomme l'abbé d'Olivet plénipotentiaire. Si l'on excepte quelques erreurs de jugement (comme celle que nous avons mentionnée concernant les consonnes doubles), l'abbé d'Olivet s'acquittera de sa tâche de façon exemplaire. Le « système » français de réformes se met en place : chaque édition, suivant un plan préétabli, avancera de quelques pas, sans pour cela bouleverser trop brutalement les habitudes.

(1) « Quoique l'un des *t* soit muet dans *tette*, *patte*, disait d'Olivet, c'est une nécessité de continuer à écrire ainsi, parce qu'en pareil cas il n'y a pas d'autre signe que le redoublement de la consonne, qui puisse marquer la brièveté de la syllabe. »

L'abbé d'Olivet, qui prépare ainsi (travaillant sans relâche, de 1727 à 1768) non seulement l'édition de 1740, mais celle de 1762 et même la suivante (laquelle deviendra, sans lui, la cinquième édition de 1798), semble avoir en effet suivi un certain ordre, qui n'a pu malheureusement être respecté : 1) en 1740, suppression quasi totale des *anciens hiatus* (sauf ceux qui sont devenus graphèmes de voyelles simples, *eau* par exemple), des *consonnes diacritiques* internes (*s* en tout premier lieu dans *estre/être*, *fenestre/fenêtre*, etc.) ; mise en place du *nouveau système compensatoire d'accentuation* établi par les imprimeurs, réglementation de l'usage du yod (*ayeul* devenant *aïeul*, etc.) et de l'orthographe des participes, etc. ; 2) en 1762, consolidation des premières réformes, mise en place de l'*accent grave*, restriction et ordonnancement de l'*accent circonflexe (soûtenir* devient *soutenir)*, début de simplification des *lettres grecques*, réglementation des *signes du pluriel*, etc. ; 3) pour l'édition suivante (si l'on peut en juger par l'exemplaire annoté par d'Olivet, Duclos, d'Alembert, Marmontel, etc., qui se trouve à l'Institut), continuation des simplifications des lettres grecques, introduction de variantes nombreuses en ce qui concerne les lettres doubles, etc.

D'Olivet ne manquait pas de bons conseils : outre les académiciens, bien disposés en général, la plupart des tenants de la Grammaire générale sont des réformateurs convaincus : Beauzée lui-même, rédacteur de l'*Encyclopédie* pour les articles de langue, est convaincu par Restaut, et se joint à l'abbé Girard, à Fromant, à Dumarsais, à Duclos (secrétaire perpétuel de l'Académie, réformateur décidé, qui utilise dans ses ouvrages une orthographe simplifiée), à de Wailly, etc. D'Alembert et Diderot, sans être passionnés par la question, sont cependant pour une orthographe moderne. Voltaire, dont on sait le rôle qu'il a joué en faisant adopter *ai* pour *oi* dans les mots comme les *François*, les *Anglois*, et les formes verbales comme j'*estois*, je *feroi*, je *finirois*, etc., déclare : « L'écriture est la peinture de la voix : plus elle est ressemblante, meilleure elle est. »

Devancé par l'usage, soutenu par l'opinion, d'Olivet réalise ainsi une série de réformes réfléchies, qui font date et rompent de façon éclatante avec les usages manuscrits : un mot sur quatre est ainsi transformé. La troisième édition de l'Académie instaure en France l'orthographe moderne qui est devenue la nôtre, avec ses défauts et ses qualités. Elle est du moins largement acceptée et comprise de son temps, et dans le demi-siècle qui suit. Il ne s'agissait que de continuer...

Un mot encore au sujet des consonnes doubles : là encore, d'Olivet n'agissait pas au hasard. Ayant décidé de s'attaquer en priorité aux consonnes situées à la limite du préfixe et du radical (ce en quoi il n'avait pas tort), il pensait pouvoir concilier tout le monde en ôtant au moins des formations françaises les consonnes doubles qui n'étaient manifestement pas étymologiques. C'est ce qui nous vaut d'écrire depuis *abaisser*, *abattre*, *agrandir*, *apaiser*, *aplatir*, etc. Mais la tâche était trop difficile, et il y renonce (1).

Quatrième édition (1762)

Au moment de la publication de la troisième édition, en raison de la carence, dans les ateliers, des caractères accentués absolument indispensables à la nouvelle orthographe, bien des mots n'avaient pu recevoir les accents nécessaires. C'est ainsi qu'on ne trouve assez systématiquement l'accent grave qu'à partir du tome II (*mére*, dans le tome I, mais *père*, dans le tome II) : le nombre d'accents introduits en 1740 constitue près de 67 % des modifications faites à cette date.

La quatrième édition parachève sur ce point les efforts de la troisième. Non seulement elle généralise l'*accent grave*, adoptant ainsi, avec un siècle de retard, la réforme proposée par Corneille, mais elle règle l'usage de l'*accent circonflexe*, le réservant de plus en plus aux seules voyelles longues. Après le *y*, l'Académie s'attaque au *z* : si l'on excepte quelques monosyllabes et mots courts (*chez*, *nez*, *assez*, etc.), ainsi que la deuxième personne du pluriel des verbes (vous *chantez*), elle le supprime à la finale, ce qui, chose curieuse, avait été proposé également par Corneille un siècle auparavant. Ainsi, *amitiez*, *bontez*, *aimez*, etc., deviennent *amitiés*, *bontés*, *aimés*, etc., réforme de grande envergure, puisqu'elle touche à la plus vaste série de substantifs pluriels à finale vocalique, ainsi qu'aux participes passés des verbes les plus nombreux et les plus

(1) On peut avoir une idée des réformes dont l'abbé d'OLIVET était partisan par son orthographe personnelle : elle ressemble fort à celles des réformateurs de toutes les époques du français : dans les *Opuscules* (1754), les *Essais de grammaire*, la *Prosodie*, les *Remarques sur Racine*, etc. (1767), il supprime les consonnes doubles, l'*y* final, les consonnes superflues, remplace *en* par *an*, etc.

vivants, ceux du premier groupe (1). La quatrième édition s'attaque également aux *lettres grecques*, sans doute sous l'influence de Duclos. Cette édition, en effet, introduit quantité de mots nouveaux (plus de 5 000 selon Gohin). Le problème de leur orthographe s'est donc posé avec force, et a fait qu'on a francisé progressivement nombre de termes introduits depuis longtemps dans la langue : le *y* d'*alchymie, alchymiste, asyle* fait place au *i* ; on y trouve aussi *paroxisme, patronimique, hibride*, mais on garde *rythme* ou *rhythme*, etc. L'Académie simplifie *ancholie, phanion, scrophule, paschal, phlegme, phlegmatique, déthrôner, scholarité, scholastique*, etc., qui deviennent *ancolie, fanion, scrofule, pascal, flegme, flegmatique, détrôner, scolarité, scolastique*, etc. Cependant, ce n'est là qu'un début, et cette réforme, sans doute remise à l'édition suivante, n'a jamais été menée réellement à bien.

Cinquième édition (1798)

En 1778, Voltaire, proche de sa mort, se fait porter à l'Académie, qui lui fait un triomphe. Il décide, semble-t-il, les académiciens à refaire entièrement le *Dictionnaire*, ce qu'avait souhaité également d'Olivet en 1727 : comment parvenir à éliminer autrement les innombrables séquelles de sa mauvaise préparation initiale, malgré des remaniements partiels et peu systématiques ? On peut regretter que la chose n'ait pas été faite avant la Révolution, car rien n'a changé à cet égard encore aujourd'hui. Quoi qu'il en soit, l'Académie une fois supprimée, et après une histoire tumultueuse, la cinquième édition paraît en 1798, sans qu'on sache bien qui en a été véritablement le responsable (2).

(1) Il s'agit là, notons-le, d'une simple application du système nouveau d'accentuation, le *z* (ancienne notation de *ts*) notant *e* fermé dans les finales pour l'orthographe manuscrite. L'orthographe « moderne », de Dolet à Montesquieu, écrivait déjà depuis longtemps vous *chantés, chés, assés*, mais l'Académie ne les a pas suivis jusque-là.
(2) Les académiciens mettent au xixe siècle beaucoup de réticences à reconnaître cette édition « révolutionnaire », dont ils ne tiennent pas compte dans leurs décisions, comme si elle n'avait jamais existé.

Cependant, malgré des contradictions (qui proviennent tout autant de l'état d'inachèvement où se trouvait le manuscrit de préparation, que des hésitations des rédacteurs), la cinquième édition est intéressante sur le plan graphique, contrairement à ce qu'on en dit : *simplification de lettres doubles*, surtout sous forme de variantes, *consolidation du système d'accentuation* (accent circonflexe), *simplifications assez nombreuses* dans les mots venus du grec (*amarante, antropophage, abîme, amigdale, analise, anonime*, etc., ignorées pour la plupart par l'édition suivante), *suppression partielle* du *e* muet avant ou après voyelle (*écheoir* ou *échoir, gréement* ou *grément, crûment, éternument*, etc.). Dans l'ensemble, on sent que les décisions prises par les académiciens de l'Ancien Régime, auxquelles on n'a pas osé toucher, sont simplement transmises à des temps plus sereins... (1).

Sixième édition (1835)

Nous sommes, au milieu du XIXe siècle, en plein « scientisme ». Quoi d'étonnant que la nouvelle Académie, qui doit, pour la deuxième fois, tout au pouvoir qui l'a remise en place (par les ordonnances de 1816), revienne à un étymologisme outrancier ?

Aussi écrit-elle de nouveau *anthropophage, amygdale, analyse, anévrysme, anonyme, asyle*, et aussi *aphte, diphthongue, rhythme, phthisie*... (monstres auxquels l'édition de 1878 se contentera d'enlever un *h* sur deux, écrivant *aphte, diphtongue, rythme, phtisie*...). Cependant, elle entérine enfin la modification pour laquelle Voltaire et l'abbé Féraud (1787, cf. plus loin, p.73) s'étaient tant battus, *ai* pour *oi* prononcé [ε], réforme amorcée au XVIe siècle et toujours contrecarrée. C'était là, si l'on peut dire, une des marques phonétiques et graphiques de la langue de l'Ancien Régime (2).

Une autre réforme, qui touchait également un vaste secteur

(1) Une réforme importante et silencieuse avait également été faite en 1798 : la suppression de l'usage de « l'S longue » à l'initiale et à l'intérieur des mots, usage qui gênait la lecture, surtout manuscrite, depuis des siècles. De plus, c'est la cinquième édition qui rétablit définitivement les mots commençant par *j* et *v* à leur ordre alphabétique, réforme qui avait mis plus de deux cents ans à se faire et qui enrichit notre alphabet des deux lettres nouvelles.
(2) Louis XVIII, revenant d'exil, aurait dit, s'asseyant sur le trône : « C'est moè le roè », selon l'usage maintenu chez les émigrés. Ceux-ci, et leurs partisans, continuèrent jusqu'à leur mort à écrire *oi*.

de marques morphologiques, a été en 1835 l'adoption définitive de la même forme au singulier et au pluriel des noms,
adjectifs et participes présents en *ant*, *ent* (*enfants*, *présents*, *aimants*, au lieu de *enfans*, *présens*, *aimans*). L'Académie avait toujours hésité sur ce point, adoptant *ants*
en 1694, puis *ans*, *ens* en 1740, après de nombreuses décisions contradictoires. Cette réforme, comme la précédente,
souleva des tollés dans l'opinion conservatrice, et certains écrivains, comme Ch. Nodier ou Châteaubriand, s'obstinèrent
longtemps à écrire sans *t* les participes présents et mots assi-
milés (*Journal des Savans*).

Septième édition (1878)

En 1878, cependant, l'atmosphère n'est plus la
même. Impressionnée par la campagne d'opinion
menée par A. Firmin-Didot (*Observations sur l'orthographe française*, 1867, 2ᵉ éd., 1868), par Littré,
Sainte-Beuve, R. de Gourmont, A. France, etc., et
les plus grands linguistes de l'Université (Passy,
Havet, Clédat, Thurot, Darmesteter, Saussure,
Rousselot, G. Paris, F. Brunot, P. Meyer et bien
d'autres), l'Académie nomme une commission, pré-
sidée par O. Gréard (1).

Le ministère (L. Bourgeois à l'Instruction publique) est, de
son côté, plutôt favorable à une libéralisation, au moins pédagogique, de façon à modérer le zèle intempestif des maîtres
et l'étau de la norme qui s'étend sur le pays depuis les lois
de J. Ferry (circulaire de 1891). O. Gréard dépose son rapport
(1893) : il présente un projet modéré et argumenté, en sept
points, toujours les mêmes : doubles consonnes, lettres grecques,
mots de même série à orthographe contradictoire, alignement
de *en* sur *an* à la finale, *x* final muet, mots composés, accents, et
y ajoute l'orthographe des mots étrangers et celle des mots à
double genre ou à double orthographe (demi-, nu-, etc.). Une
cabale, montée par le « parti des Ducs » (duc d'Aumale), s'oppose à ce que ce projet prenne effet, et l'Etat, comme l'Aca-

(1) Sur toute cette période, cf. N. C., Un point d'histoire de la
langue : la bataille de l'orthographe en 1900, *FM*, 1963 et suiv. ;
et *HLF*, XIV, 1985, pp. 237-251.

démie, recule. C'est dans cette atmosphère surchauffée qu'avait paru la septième édition (1877-1878). Outre certaines réformes sporadiques concernant les mots composés, les consonnes doubles, le *h*, les lettres grecques, le tréma, l'accentuation, etc., on y trouve beaucoup de mots simplifiés introduits sous forme de variantes (1), et il faut y voir le reflet de l'idée neuve de *tolérance*, au moins dans les examens : « La pratique orthographique actuellement imposée aux élèves... est, dans bien des cas, en contradiction flagrante avec l'enseignement grammatical donné dans toutes les universités... Il y aurait lieu, tout au moins, de ne plus imputer à faute aux élèves qui en usent les formes reconnues les meilleures par la science grammaticale... L'orthographe ne saurait être soustraite plus longtemps, par un dogmatisme intransigeant, aux lois de l'évolution... » (vœu du Conseil supérieur de l'Instruction publique, voté par les trois ordres d'enseignement en 1908, et reprenant la *circulaire Bourgeois* de 1891).

L'idée de *tolérance*, ou de *double orthographe*, permises dans les examens et par conséquent introduites indirectement dans l'usage, est à la fois une idée réaliste et dangereuse. Réaliste, dans certaines circonstances, parce qu'elle peut permettre à un usage bloqué de retrouver une certaine souplesse. Dangereuse, si ces tolérances ne sont pas strictement limitées dans le temps et à certaines zones marginales et bien dominées, intégrées ensuite progressivement selon une étude et un plan préalablement établis.

Huitième et dernière édition (1932-1935)

Alors que les éditions précédentes se suivaient environ tous les trente à quarante ans, avec une mise à jour relativement importante, plus d'un demi-siècle a passé de 1878 à 1932. Mais presque rien n'a changé pour la huitième édition. Après la bourrasque du début du siècle, l'opinion s'est en apparence calmée.

(1) Une des séries ainsi « libérées » se trouvait être celle des adverbes et noms en *-ement*, *maniement* ou *maniment*, *dévouement*, *dévoûment*, *gaiement* ou *gaîment*, etc., écrits de deux façons, réforme amorcée en 1835. Dans l'esprit de l'Académie, il semble que l'accent circonflexe (comme cela s'était produit en 1740) marquant une lettre disparue était un accent de transition, destiné ensuite à disparaître, comme dans *vraiment*, *bâtiment*, *châtiment*, etc. L'édition suivante (1935) restitue le *e* interne dans toute cette série de mots.

Le rapport Faguet (1905) avait fait quelques concessions, de détail certes, mais non négligeables, dont on ne trouve aucune trace dans le *Dictionnaire* (1) : 1) accents (on pouvait écrire *croute, flute, ile, maitre, traitre, voute* ; *dévoument, crucifiment, assidument...*) ; 2) pluriels en *oux (bijous, chous...)* ; 3) *famille de mots (charriot* comme *charrette)* ; 4) *finales en ciel, tiel* (écrire *pestilenciel, confidenciel, substanciel...*) ; 5) *lettres muettes : pié, ognon, fond* (pour *fonds), appas* (pour *appâts), différent* (pour *différend...*) ; 6) *préfixe en- (enmener, enmailloter, enmitoufler...)* ; 7) *lettres doubles (échèle, paysane...)* ; 8) *z pour x (sizain, dizième, sizième...)* ; 9) *rh (rapsodie, rèteur, rinocéros, rume...)* ; 10) *y (analise, stile...).* Il n'était pas dit si ces réformes s'arrêtaient aux mots cités ou s'étendaient aux séries concernées. Elles n'ont pas été reprises par la suite, ni par le ministre, ni par le *Dictionnaire.*

La huitième édition présente certaines caractéristiques qui la rapprochent de la sixième (1835) : retour en arrière (dans *maniement, déploiement,* etc.), suppression des variantes admises précédemment (dans les séries ci-dessus et dans d'autres), correction de détails, tournant souvent le dos aux simplifications *(abattis, abattage,* alignés sur *abattre,* mais coupés de *combatif, combativité, courbatu...),* etc. Un point positif cependant : elle soude certains composés *(chienlit, passerose, primesautier, toutou,* etc.), 18 composés sur *entre (entracte, entraide, entrouvrir,* etc.) et 12 composés sur *contre (contreclef, contrecoup, contreproposition,* etc.), confirmant ainsi un mouvement vers la soudure amorcé en 1835 (26 composés sur *entre,* 18 sur *contre)* et 1878 (5 sur *entre,* 13 sur *contre).* La neuvième édition acceptera en 1990 (à titre de variantes) de considérer ces deux séries dans leur ensemble, soudant les composés et traitant de façon semblable des mots similaires (2).

---

(1) « L'Académie, disait le rapport, reconnaît qu'il y a des simplifications désirables, et qui sont possibles, à apporter à l'orthographe française. » Il s'agissait dans un premier temps, il faut le préciser, de formes *admises* dorénavant à côté des anciennes, du type *aulne* ou *aune, clef* ou *clé.*
(2) Le mouvement vers la soudure se continue, par exemple, dans les éditions les plus récentes du *Petit Larousse* et du *Petit Robert (PLI, PR).* Comme l'avait fait avant eux le *Grand Larousse de la langue française,* leurs dernières éditions introduisent largement les graphies soudées (pour *entre-,* 14 non soudées sur 75 dans *PLI* 1994, 2 seulement dans *PR* 1993). C'est là un exemple à suivre. Sur les mots composés, cf. N. C., J. GOLFAND, R. DENUX, *Orthographe et lexicographie,* t. II, Nathan, 1981 (ici *Orth. lex.*).

Conclusion

Le sacro-saint « usage » orthographique, par conséquent, et contrairement à ce que croyait Régnier-Desmarais, n'est pas venu du ciel. Le nôtre, comme toutes les écritures, est « humain, trop humain ». L'orthographe n'est pas « naturelle » : le langage lui-même, qui échappe à l'homme, ne l'est pas. Ce sont là des « principes... d'usage..., chez les peuples qui les ont adoptés librement, sans perdre le droit de les changer ou de les abandonner, quand il plaira à l'usage de les modifier ou de les proscrire »... (*Encyclopédie*, art. « Grammaire »). S'il est une différence entre le parler et l'écriture, c'est que la seconde, jusqu'ici, appartient à peu d'hommes : « Loquendum ut multi, scribendum ut pauci », telle était la devise du bon usage.

Laissons parler les chiffres. Si l'on prend pour base le lexique de la première édition de l'Académie, le pourcentage de modifications graphiques introduites pour ces mots d'une édition à l'autre est le suivant (17 168 mots dépouillés, 31 864 formes différentes, vocabulaire de la 1re édition).

Modifications graphiques des Dictionnaires de l'Académie

Editions de l'Académie	Nombre de modifications graphiques	% par rapport au total des modifications
(R. Estienne-Thierry-Nicot)	3 152	17,75
1694	4 222	23,78
1718	1 375	7,74
1740	4 703	26,49
1762	1 206	6,79
1798	591	3,32
1835	433	2,43
1878	788	4,43
1935	1 280	7,21
Total	17 750	

Remarques. — Les chiffres cités ici sont les résultats des dépouillements effectués par l'équipe CNRS-HESO pour le *Dictionnaire historique de l'orthographe (DHOF)*. Les modifications de la première édition sont calculées par rapport au *Thresor* de J. Nicot (1606). Entre R. Estienne (1549) et Nicot, sur un ensemble partiel, le pourcentage des modifications se monte à environ 10 %.

A ces chiffres, il faut ajouter les modifications dites « extra-graphiques », c'est-à-dire celles qui touchent non seulement à la graphie, mais aussi à la prononciation du mot, aux suppressions d'articles, aux changements dialectaux, de suffixes, de sens, etc. (elles se montent à 7 313 pour l'ensemble des éditions). De plus, ces chiffres ne portent que sur un vocabulaire restreint, celui de la première édition, et sur les *mots vedettes* seulement. Un sondage sur l'ensemble de l'édition de 1878 (30 000 mots environ) nous donne 675 modifications, et 600 environ pour 1935, chiffre certainement non exhaustif.

A l'étude des entrées, des exemples et du texte des dictionnaires, il faudrait également ajouter celle des modifications considérables introduites dans les textes par certaines réformes de ce que l'on appelle « l'orthographe grammaticale » : citons, entre autres, les marques de pluriel (1762), celles des participes présents, celles des finales verbales en *-oi(s)/-ai(s)* en 1835, etc.

En ce qui concerne le nombre de *mots* atteints par les modifications ci-dessus (il peut y avoir plusieurs modifications par mot) depuis le XVIe siècle, nous trouvons les chiffres suivants :

Nombre de mots dépouillés	17 168	
Mots n'ayant pas changé de forme	8 361	(48,7 %)
Mots ayant changé de forme	8 807	(51,3 %)

L'éloquence de ces chiffres (en chute nette mais non nuls, dans les dernières éditions) démontre l'importance des mutations graphiques du français même si l'on prend pour seul point de départ le XVIe siècle et l'Académie. En un demi-siècle, de 1718 à 1798, près de 8 000 modifications proprement graphiques, dont la plupart établies, il faut le souligner, par séries et assez systématiquement, ont été acceptées, et bien acceptées, par l'usage. « Il ne faut pas perdre de vue, disait Damourette à propos de la ponctuation (mais c'est tout aussi vrai pour l'orthographe), que les ouvrages de l'époque classique sont généralement mis sous les yeux du public dans les éditions dont les formes graphiques ont été plus ou moins profondément remaniées... » (*Traité moderne de ponctuation*, 1939). Ce sont ces remaniements successifs qui donnent la fausse impression que l'orthographe a toujours été la même et comme par hasard, la nôtre. C'est surtout le XIXe siècle qui a, par la diffusion massive d'éditions modernisées, nivelées, contribué à répandre cette idée dogmatique et stérilisante d'une orthographe éternelle, et par conséquent immuable. Par la suite, une réaction tout aussi maladroite a sans doute outre mesure personnalisé ce débat historique, en projetant à son tour sur le passé les conceptions impératives des normes modernes. En réalité, c'est en profondeur, chez les écrivains, dans les manuscrits, les ateliers, les imprimés, le mouvement social, économique et incessant de l'usage, beaucoup plus que dans l'ignorance des uns, la méchanceté des autres, qu'il faut rechercher les clés véritables du problème. L'orthographe a certes été l'objet d'un choix, à différentes époques, choix qui ne pouvait être établi que par ceux qui possédaient la culture et le pouvoir. Mais elle est aussi la forme matérielle et nationale non seulement de notre langue, mais de toute l'histoire de notre langue. A nous de comprendre et de juger cet héritage, en perpétuel mouvement.

CHAPITRE IV

L'ORTHOGRAPHE ACTUELLE

I. — L'après-Académie

Aujourd'hui, près de soixante ans après la 8e, l'Académie a publié, fin 1992, la première partie de sa 9e édition, avec diverses corrections et améliorations, l'étymologie des mots, et, comme elle l'avait annoncé, les nouvelles graphies approuvées par elle (cf. plus loin, p. 87). Mais ce n'est plus cet ouvrage que l'on voit sur les tables des imprimeurs, des secrétaires, de ceux qui écrivent. Alors qu'on ne comptait plus, à leur époque, les rééditions de 1798 ou de 1835, alors que les modifications de 1877-1878 faisaient aussitôt l'objet de listes impératives dans les ateliers, la huitième édition n'a pas été rééditée. Elle est remplacée par les dictionnaires usuels, constamment mis à jour (*Petit Larousse*, *Petit Robert*, *Hachette*, etc.), et il est aisé de comprendre une perte d'intérêt aussi profonde : le lexique qui s'y trouvait n'est plus le nôtre, et le nôtre ne s'y trouve pas.

Selon les études faites, un quart environ de notre vocabulaire changerait de nature, de forme ou de sens tous les dix à quinze ans (1). Même si l'on écarte des séries les dérivés, qui

---

(1) DUBOIS, L. GUILBERT, H. MITTERAND, J. PIGNON, Le mouvement général du vocabulaire français de 1949 à 1960, d'après un dictionnaire d'usage, *FM*, avril et juillet 1960. Sur 35 à 36 000 mots, les auteurs ont dénombré d'une édition à l'autre 5 105 suppressions et 3 973 ajouts de termes ou de sens. Ces chiffres ne signifient pas que notre vocabulaire se renouvelle entièrement tous les quarante à cinquante ans. Le renouvellement touche peu la langue générale (9 %). Pour les mots formés sur préfixes savants, du type *micro-*, *psycho-*, etc., au contraire, le mouvement est important (700 additions pour le vocabulaire scientifique ou technique). Depuis, le mouvement s'est encore accentué (un million de mots enregistrés aujourd'hui contre 100 000 chez Littré).

gonflent évidemment les chiffres, cela fait beaucoup de décisions à prendre, pour des centaines et des centaines de mots qui ne peuvent attendre un demi-siècle et plus pour être écrits, entrer dans les dictionnaires et dans l'usage. Ces décisions, ce sont les rédacteurs qui les prennent, d'ouvrages, de revues, de journaux, et autres véhicules de grande diffusion. Ils empruntent souvent les mots tout formés aux créateurs *(gaz, kodak)*, mais pas toujours. Les uns et les autres ont par conséquent une grande responsabilité, et en tout premier lieu ceux qui servent aux autres de référence, c'est-à-dire les *dictionnaires*.

— Prenons l'exemple des *mots d'emprunt* : avant l'intervention, toute récente, des offices et commissions diverses de terminologie (1), il s'agissait d'un domaine où les lexicologues faisaient la loi et où les contradictions abondaient : Littré, par exemple, fortement francisant, écrivait *aga, astracan, cari, fiord, cabale, cadi, mafia, ostrogot, pouding, vermout*, etc. ; le *Grand Robert* (reprenant les formes de Littré à côté d'autres senties comme plus « modernes » sans que l'on connaisse toujours leurs références), donne *aga, agha, astrakan, astracan, cari, cary, fiord, fjord* (Acad.), *Kabbale, cabale, kadi, cadi, mafia, maffia, ostrogoth, ostrogot, pudding, poudding, vermout, vermouth* (Acad.), etc. Le *Petit Larousse*, quant à lui, sur plusieurs centaines de modifications apportées à des mots étrangers entre 1962 et 1992 (en général par ajout ou suppression de variantes graphiques), compte 65 à 66 % de graphies nouvelles :

— *khôl, kohol* (1962), *kohol, koheul, khôl* (1969), *khôl, kohol* (1992) ;
— *kolkhoze* (1962), *kolkhoz, kolkhoze* (1969 et 1992) ;
— *schah, shah, chah* (1962), *shāh, chāh* (1969), *shah, chah* (1992), etc. (2).

Prenons à présent les *mots composés* : si cachés qu'ils soient dans les articles (la plupart d'entre eux ne portent pas le trait d'union, ce qui empêche que le mot entre à l'ordre alphabétique), il faut bien les écrire d'une façon ou d'une autre. Inutile

(1) Organisation internationale de Normalisation, Conseil international de la Langue française, Comité d'étude des termes techniques, Commissions des Académies, Code de la santé publique, Congrès internationaux, Commissions ministérielles de terminologie, etc.
(2) Sur *Littré, Robert, Larousse* et l'évolution actuelle de notre orthographe, cf. *Orth. lex.*, t. I, 1971.

de dire combien abondent sur ce point les hésitations, les contradictions, pour le trait d'union et l'apostrophe, aussi bien que pour les règles d'accord ; elles voisinent d'ailleurs avec les affirmations les plus dogmatiques de trop de manuels : ainsi, on trouve un *porte à faux* (Acad.) ou *porte-à-faux (Petit Larousse)*, un *faux-bourdon* (« chant d'église ») et/ou *faux bourdon* (« insecte »), un *non-combattant* mais une unité *non combattante* (sans trait d'union), un *pot pourri* (Acad.) ou *pot-pourri*, un *pur sang* (Acad.) ou *pur-sang*, un *appui-tête* ou *appuie-tête* (ou *têtes*), etc., selon les dictionnaires ou les endroits différents d'un même ouvrage.

D'une édition à l'autre, heureusement, ces dernières années, souvent dans le sens d'une normalisation, les dictionnaires modifient leurs formes, changent leurs pluriels ; en général, les lexicographes, dans le doute, ne donnent à l'utilisateur aucun indice lui permettant d'utiliser les mots difficiles sous leurs formes fléchies, ce qui est le condamner à ne pouvoir les employer.

Prenons quelques exemples de *néologismes* ou mots populaires plus ou moins récents (*Orth. lex.*, t. I, pp. 87-98) : comment écrire *plasticage (plastiquage ?)*, *toquante (tocante ?)*, *aponter (apponter ?)*, *gnole (gniole, gnôle, gniaule, niaule ?)*, *rancart (rancard, rencart, rencard ?)*, *pagaye (pagaille, pagaie ?)*, etc. ? Plus d'une variante sur dix concerne une hésitation entre consonne simple et double *(annexionniste ou annexioniste)* ; les hésitations sur les graphies dites « grecques » *(cariatide, caryatide, ellébore, hellébore, etc.)* sont à peu près aussi nombreuses, ainsi que les anomalies d'accents aigus, graves ou circonflexes, non seulement pour les séries françaises, mais pour les mots latins, grecs ou étrangers actuels : *nous avons dénombré (sans prétendre à l'exhaustivité) plus de 10 000 cas d'orthographe d'usage où notre graphie « officielle » n'est ni normalisée ni fixée*, soit plus du quart d'un dictionnaire de la langue prise au sens large. C'est ce qui interdit que l'on puisse soutenir que notre orthographe n'a pas changé depuis 1835 (1).

(1) A ce sujet, nous tenons à souligner qu'une telle affirmation, reprise à plaisir autant dans les manuels d'histoire que dans les chroniques, est doublement inexacte : tout d'abord, notre orthographe continue d'évoluer, et même d'une façon telle que le mou-

Cela étant dit, qui prendra les décisions nécessaires ? Se prendront-elles au hasard des usages ou, comme cela s'est trop souvent fait jusqu'ici, au gré des rédacteurs de dictionnaires ? N'étant pas capables de décider, en raison d'un mouvement de vocabulaire de plus en plus rapide, ceux-ci introduisent de plus en plus de variantes, ou choisissent entre celles-ci délibérément, avec plus ou moins de bonheur, sans tenir compte de la série où se trouve le mot ou d'autres considérations linguistiques.

En réalité, sans même prétendre toucher au « contentieux » ancien des réformes à faire, il serait sans aucun doute utile et possible de parvenir à régler (sur le plan de toute la francophonie) ces problèmes quotidiens, comme cela se fait ailleurs que chez nous (1). Une évolution graphique admise, canalisée, avec une commission chargée de normaliser progressivement dans le sens d'une simplification les parties mouvantes et nouvelles de notre vocabulaire, serait d'une grande aide aux lexicographes comme aux usagers. Les premiers pourraient alors progressivement harmoniser leurs décisions graphiques dans les différentes parties

vement semble s'accélérer ces dernières années. Ensuite, rien n'autorise à croire qu'un quelconque décret ait fixé l'usage en 1835, faisant de l'orthographe de l'Académie une « orthographe d'Etat ». Après des recherches aussi longues qu'infructueuses, nous sommes en mesure d'affirmer qu'un tel décret *n'existe pas*. L'Académie d'ailleurs ne s'en est jamais prévalue, se contentant de s'instaurer modestement le « greffier de l'usage ». Il est temps, par conséquent, qu'une erreur aussi grave, et de tant de conséquences, disparaisse de nos manuels. Cf. à ce sujet, A. Porquet, Le pouvoir politique et l'orthographe de l'Académie au XIXᵉ siècle, *FM*, janv. 1976, et N. C., *Mots* nᵒ 28, 1991, pp. 113-117.

(1) C'est ce que s'est efforcé de faire le *Rapport sur les rectifications de l'orthographe française* du 6 déc. 1990, dont c'était la préoccupation principale (cf. plus loin). Un colloque sur ce sujet s'est tenu en mai 1993, à l'initiative du CNRS-HESO et de l'Association AIROE, qui a repris en France le flambeau des réformateurs (*Variations et harmonisation graphiques des normes et des dictionnaires*, publication à paraître en 1995 dans *Langue française*, resp. N. Catach).

de leurs travaux, d'une édition à l'autre comme d'un dictionnaire à l'autre. Voilà, à notre avis, un point précis où pourrait, sans grand danger, s'appliquer utilement une « politique de la langue ».

Exemple de bonne politique de la langue : une commission d'harmonisation, créée en 1981 par le CILF (Conseil international de la langue française), a examiné les variantes des dictionnaires et les mots composés du type : base verbale + complément *(tire-bouchon, gratte-ciel...)*, et recommandé aux dictionnaires de normaliser cette série très irrégulière en privilégiant, autant que possible, la forme qui « ne donne la marque du pluriel qu'au pluriel » : un *tire-bouchon*, des *tire-bouchons*, un *gratte-ciel*, des *gratte-ciels* (Publ. CILF, 1988). Cette proposition a été reprise dans le *Rapport* du 6 déc. 1990.

II. — Les recherches actuelles

Jusqu'aux années 70, les études sur l'orthographe étaient soit à tendance normative ou « puriste » (dictionnaires de difficultés, chroniques du langage), soit pédagogiques, sans qu'aucune description théorique valable en soit proposée.

Le premier linguiste moderne qui se soit sérieusement attaché à appliquer au domaine français les méthodes et les acquis actuels de l'étude du langage est un Soviétique, V. G. Gak (Bibl. [13]).

V. G. Gak dégageait cinq critères principaux d'ordonnancement des faits graphiques : « D'un côté le principe phonétique et de l'autre les quatre principes : morphologique, traditionnel, étymologique, différentiel — distinction des homonymes — qui font qu'elle s'écarte du premier » (Vildé-Lot). Grâce à cette typologie, le manuel de Gak parvient à expliquer un ensemble de faits en apparence décousus et contradictoires.

En 1967, R. Thimonnier faisait paraître son *Système graphique du français* (Plon) ; Cl. Blanche-Benveniste et A. Chervel, *L'orthographe* (Maspero, 1968, rééd. 1974).

R. Thimonnier (ici R. Th.) soutient que l'orthographe répond à un *système* dont le fonctionnement est cependant voilé par les *séries homonymes* et les *familles de mots irrégulières*. On trouvera dans le livre de C. Blanche-Benveniste et A. Chervel une bonne critique de l'alphabet traditionnel, des notions de fond concernant le fonctionnement de notre écriture sous ses différents aspects, le tout faisant preuve d'un remarquable effort de synthèse. Curieusement, ils rejoignent R. Th. en ce qui concerne l'attitude envers la réforme en particulier : pour le premier, l'écrit constitue un tout qu'il faut accepter comme tel, à quelques exceptions près ; pour les seconds, ce tout est si étroitement bloqué qu'on ne peut plus y toucher, sauf à le doubler d'un autre, plus simple et plus pratique, pour l'usage quotidien. Quant au premier, on peut le juger bon (pour Thimonnier) ou le rejeter (pour les seconds), mais on ne peut plus l'amender.

Parallèlement, en ce qui concerne l'anglais, les linguistes partisans de la phonologie générative proposaient également de nouveaux modèles d'approche de l'orthographe. Ils appliquaient brillamment au français l'hypothèse selon laquelle les « formes sous-jacentes » indiquées par l'orthographe (en général les formes les plus longues, par ex. *petit* pour [pəti] permettaient, à l'aide de règles, au « locuteur-lecteur idéal » de passer aux « structures phonétiques de surface » (ici, suppression du *t* devant un mot commençant par une consonne, *peti(t) chien*, passage au fém. *petite*, et aux dérivés, *petitesse*). Les analyses en « plurisystème » les plus récentes de l'anglais, faites en particulier par Sampson (1985, cf. note p. 4), rejoignent celles de l'équipe HESO pour reconnaître certes à l'écriture anglaise, comme à beaucoup d'autres, un caractère phonologique dominant, mais aussi l'existence de nombreux signes-mots ou « logogrammes » (1).

III. — Les travaux de l'équipe CNRS-HESO

1. **Le « plurisystème » du français.** — Un certain nombre d'acquis se dégagent des recherches que nous avons signalées. Pour les uns comme pour les autres, l'orthographe n'est pas seulement un code ou une institution sociale, mais un ensemble com-

---

(1) Voir V. LUCCI, Orthographe et phonologie générative, *Pratiques*, 25, pp. 94-99, et C. SORIN, Quelques travaux de phonologie générative, Bull. *Liaisons-HESO*, n° 4, pp. 5-20.

plexe de signes linguistiques. Pour l'équipe HESO, du CNRS, trois éléments sont effectivement reconnus comme indissociables en synchronie, à mettre en rapport avec les trois parties du système linguistique : le *phonème*, le *morphème* et le *lexème* (ou mot), entrant eux-mêmes en combinaison syntaxique (la *phrase*). Quant à la syllabe, elle est considérée comme une étape intermédiaire, mais importante entre le *morphème* (ou *monème*), unité de première articulation (significative) et le *phonème*, unité de deuxième articulation (essentiellement distinctive) (1) :

« Si l'on voulait concrétiser tant bien que mal cette structure complexe, cela pourrait donner une série de cercles (*Rech.*, fig. 1), dont le centre serait constitué par notre « code graphique » proprement dit, c'est-à-dire le stock des graphèmes correspondant directement à nos phonèmes, appelés par nous *phonogrammes* : cette zone comprend elle-même un noyau essentiel d'*archigraphèmes*, notion importante sur laquelle nous reviendrons plus loin. L'assemblage de cette batterie de signes ne peut se faire sans connaître leurs *variantes positionnelles*, zone annexe de la première, c'est-à-dire les formes et les valeurs diverses qu'ils peuvent prendre en telle et telle position... Viendra ensuite le cercle des *morphogrammes* ou « graphèmes de morphèmes », c'est-à-dire de

---

(1) Terminologie empruntée à A. MARTINET (*Eléments de linguistique générale*, Paris, A. Colin, 1974). Sur le plan de la graphie, cette vision apparaît tant soit peu différente : au lexème correspond le mot graphique ; au morphème correspondent soit un ou plusieurs graphèmes prononcés, soit un « morphogramme », supplément d'information écrit, portant en général sur la partie variable ou construite du mot, désinences, flexions, préfixes, suffixes, etc. ; mais au phonème correspond non pas une unité seulement distinctive, mais aussi en partie *significative*, le graphème. Cette différence tient au fait que le système graphique est relativement *autonome* par rapport à la langue, tout comme le morse, l'alphabet Braille et autres codes de substitution au langage. Cf. à ce sujet N. C., *Rech.*, pp. 949-956, et *Traité*, 1980. Le sigle HESO signifie « Histoire et Structure des Orthographes et Systèmes d'écritures ».

désinences, flexions verbales, préfixes, suffixes, de dérivation, etc. Ces morphogrammes sont prononcés ou non, mais maintenus dans la graphie dans l'un et l'autre cas, en tant que marques de série ou de sens. Ainsi, le *s* du pluriel sera maintenu dans tous les cas, qu'il entre en liaison ou non avec le mot suivant, et de plus étendu à toute la série des noms, des adjectifs, etc., même lorsqu'il n'est jamais prononcé : « des enfants, des petits enfants, des enfants magnifiques ». Contrairement aux phonogrammes, avec leurs variantes positionnelles, ces signes ne peuvent être utilisés que de façon intermittente et localisée, ce qui restreint d'autant leur valeur fonctionnelle... ».

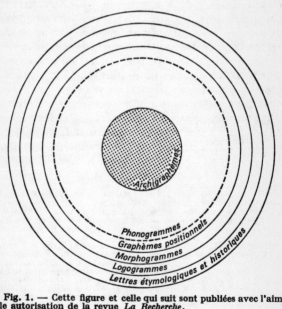

Fig. 1. — Cette figure et celle qui suit sont publiées avec l'aimable autorisation de la revue *La Recherche*.

Plus loin, l'article explicite ainsi ce que recouvre ce terme nouveau de *morphogrammes* :

« Nous avons ce que l'on pourrait appeler une morphologie « à éclipse » : les désinences apparaissent ou disparaissent à la finale suivant le jeu des liaisons « étroites » ou « larges »... comme les liens entre les différents radicaux ou les radicaux et leurs dérivés... » Parmi ces marques graphiques, sont distinguées en effet les marques à *contrôle étroit* : on écrit *souriant* à cause de *souriante*, *œuf* appelle *œufs* (liens de permanence entre le féminin et le masculin, entre le singulier et le pluriel). D'autres sont à *contrôle plus lâche* : ainsi, sur le plan lexical, la finale de *printanier* ne rappelle guère *printemps*, lui-même calqué sur *temps* ; *abri* ne rappelle pas *abriter*, du moins par sa marque finale, ni *caoutchouc*, *caoutchouter*, etc. Pour les flexions verbales, la résurgence des marques en cas d'inversion (dans *prends-en*, *veut-il*, *prend-il*, *prenons-en*, *prennent-ils*) peut justifier dans une certaine mesure leur maintien dans la conjugaison, qui joue également un rôle de *rappel* en cas d'absence du pronom, de rupture syntaxique, dans des phrases longues ou comprenant des inversions ou incises. Ces marques analogiques permettent une certaine *souplesse* dans l'ordre des mots du français, maintiennent et multiplient l'information, aident à la lecture visuelle de l'adulte (fig. 2).

La troisième zone, qui n'est qu'une zone annexe, apporte un nouveau complément de type « idéographique » dans certains

Type	Exemples
Marques flexionnelles désinences	finissons/finissons-en
	des enfants méchants (2 s redondants)
	de méchants enfants (1 s redondant)
Marques sérielles	
préfixes	immangeable/*i*(*m*)mortel
suffixes	cerisa*ie*, châtaignera*ie*
internes	aimera*i*/jouera*i*
Marques dérivatives	
contrôle étroit	
fém./masc.	souriant/souriant*e*
sing./plur.	œuf/œu(*fs*)
contrôle lâche	
radicaux/dérivés	temps/temporel, mais printanier (non *printempsier*)
radicaux/composés	temps/longtemps, mais plus/plutôt (et non *plustôt*)

Fig. 2. — Principaux types de morphogrammes

cas d'ambiguïté portant cette fois sur les radicaux eux-mêmes. Elle est constituée par les *logogrammes*, ou « figures de mots » : « Il s'agit, dit l'article de *La Recherche*, le plus souvent de monosyllabes ou de mots très fréquents, et la fonction des logogrammes dans le système est de distinguer certains homonymes, une partie minime en réalité en regard de tous ceux qui existent dans le lexique et dans le discours. C'est là que la redondance est la plus élevée ; c'est une solution qui, généralisée, reviendrait fort cher, et troublerait considérablement les mécanismes phonogrammiques généraux. C'est pourquoi ils doivent rester l'exception » (p. 952). Il s'agit donc, si l'on peut dire, d'*homophones-hétérographes*, à graphie caractéristique, tels que *août, saoûl, taon, paon*, distingués de *ou, où, sou, temps, pan*, etc. Mais les moyens de distinction de l'écrit sont limités, et l'on ne peut sans risques graves les multiplier à l'infini (fig. 3).

Enfin, il est impossible de nier que le critère fonctionnel, même si l'on admet toute sa complexité de réalisation proprement graphique en français, ne permet pas de justifier toutes les lettres utilisées. Il reste un reliquat, lettres étymologiques ou historiques, qui ne répondent qu'à une certaine « compétence » que chez le lecteur savant ou dûment averti, ce qui n'est pas le cas pour l'ensemble des Français : les consonnes doubles, par exemple, si elles peuvent être parfois comprises dans le cadre du système (comme dans *enneiger*, formé de *en* et de *neiger*), font appel la plupart du temps soit à la connaissance du latin (*appeler, effarer, offenser*), soit à celle de l'histoire de la langue (ainsi, la première des deux consonnes notant l'ancienne nasalisation, dans *sonner, donner, honneur*, etc.). De même, comment expliquer le maintien de graphies dites « grecques » dans les mots courants comme *théâtre, rhume*, etc., ou « latines » comme le *p* de *prompt* ou de *sculpteur* ? On voit que la reconnaissance d'un système (ou plutôt d'un plurisystème) graphique ne doit pas nous conduire à l'aveuglement : s'il y a une réforme à faire, c'est bien évidemment par ce reliquat peu fonctionnel et non fonctionnel qu'il faut commencer. Ce sont, parmi d'autres, ces réflexions de principe sur le système qui ont, en 1990, permis aux experts de se mettre d'accord sur un certain nombre de propositions, pour des petites séries qui ne sont que des reliquats de notre histoire : les verbes en -*eler/-eter* (on écrira il *ruissèle*, il *cliquète*, comme il *gèle*, il *achète*), les terminaisons des mots en -*an* et -*on* (*tanage* comme *tanin*, *enrubaner* comme *rubaner*, *fonctionalisme* comme *nationalisme*, etc.). Cf. à ce sujet N. C., *L'orthographe en débat*, 1991 [Bibl. 17].

ancre n.f. *(DF)*, encre n.f. *(DF)*
car n.m. *(FE)*, quart n.m. *(DF)*
champ n.m. *(DF)*, chant n.m. *(FE)*
compte n.m. *(DF)* conte n.m. *(FE)*
cou n.m. *(DF)*, coup n.m. *(DF)*
cours n.m. *(FE)*, court adj. *(DF)*
cygne n.m. *(DF)*, signe n.m. *(DF)*
de prép. *(FE)*, deux num. *(DF)*
des art. *(FE)*, dès prép. *(DF)*
faim n.f. *(FE)*, fin n.f. *(DF)*
foi n.f. *(FE)*, fois n.f. *(FE)*
la art. *(FE)*, là adv. *(FE)*
mètre n.m. *(DF)*, maître n.m. *(DF)*
mot n.m. *(FE)*, maux n.m.pl. *(DF)*
non n.m. *(FE)*, nom n.m. *(FE)*
or conj. *(DF)*, hors prép. *(DF)*
ou conj. *(FE)*, où adv. *(FE)*
pain n.m. *(FE)*, pin n.m. *(DF)*
pêcher n.m. *(DF)*, péché n.m. *(DF)*
pêcher v. *(DF)*, pécher v. *(DF)*
point n.m. *(DF)*, poing n.m. *(DF)*
porc n.m. *(DF)*, port n.m. *(DF)*
raisonner v. *(DF)*, résonner v. *(DF)*
sain, adj. *(DF)*, saint adj. *(DF)*
sans prép. *(FE)*, cent num. *(FE)*
saut n.m. *(DF)*, sot adj. et n.m. *(DF)*, seau n.m. *(DF)*
si conj. *(DF)*, ci adv. *(FE)*
sur prép. *(DF)*, sûr adj. *(DF)*
tente n.f. *(DF)*, tante n.f. *(FE)*
vain adj. *(DF)*, vingt num. *(FE)*
vint v. *(DF)*, vainc(t-il) v. *(DF)*
ver n.m. *(DF)*, vers n.m. *(DF)*, verre n.m. *(DF)*
voie n.f. *(DF)*, voix n.f. *(DF)*

Fig. 3. — Logogrammes de forte fréquence (exemples pris soit dans les 3 000 mots du *Dictionnaire fondamental de la langue française*, de G. GOUGENHEIM, Didier, 1958, ici *DF*, soit dans les 1 063 mots du *Français élémentaire*, ici *FE*).
Voir aussi (ci-dessous, p. 115, n. 1) certains logogrammes grammaticaux de forte fréquence, occasionnant un très grand nombre de fautes.

2. Qu'est-ce que le graphème ? — La définition du graphème dépendra étroitement de cette conception d'ensemble. Les phonogrammes (transcription des sons) constituent pour le français les fondations du système. Mais il faut admettre, auprès de ces graphèmes centraux, l'existence d'un certain nombre de graphèmes secondaires ou « muets », à condition qu'ils soient en *rapport avec l'un ou l'autre*

us-systèmes actuels de la langue. « On aboutit
à une définition du graphème comme *forme
[visu]ale stable* (Klinkenberg) du phonème ou du
[morph]ème, en opposition d'une part aux *variantes
combinatoires* (par rapport au groupe de mots, au
mot, à la syllabe, à l'entourage immédiat), d'autre
part aux sous-graphèmes et aux exceptions » (N. C.).

Les critères d'identification des graphèmes de base (par
rapport aux sous-graphèmes et aux exceptions) sont les
suivants :

1) *Le degré de fréquence de l'unité,* étudiée non seulement en
lexique, mais *dans les textes.* Les graphies situées en deçà du
seuil de fréquence (qui n'entrent, par exemple, que dans
moins de cinq unités lexicales) n'offrent qu'un intérêt limité :
ce sont en général, soit des graphies de mots très fréquents
(logogrammes), soit des mots rares, « mots de lecture » dont la
reconnaissance se fait par l'usage. Une hiérarchie très stricte
est donc nécessaire (ainsi, *sch,* dans *schéma, schilling,* etc., dont
la probabilité d'apparition dans un texte de langue générale
est quasi nulle, ne peut être mis à égalité avec *ch,* dont la probabilité d'apparition dans les textes approche les 100 %).

2) *Son degré de cohésion et de stabilité* (pour les graphèmes
complexes) : ainsi *eau* constituera un graphème, non *eoi* dans
asseoir, ou *ean, aen,* dans *Jean, Caen.*

3) *Son degré de « signifiance » ou de pertinence phonologique :*
les lettres doubles, les lettres grecques (comme *th, rh,* etc.), par
exemple, sont fréquentes, elles sont relativement stables, mais
leur signifiance phonologique est pratiquement nulle dans le
système actuel de la langue.

4) *Son degré de « rentabilité » linguistique :* rapports morphologiques, de type sériel, analogique, dans des secteurs limités
mais cohérents, ainsi *ai* dans les flexions verbales, *-ain* alternant avec *-aine, eau* alternant avec *-èle* ou *-elle, -elier, -eleur*
(oiseau, oiselle, oiselier, ciseau, cisèle, ciseleur, etc.).

5) *Son degré de créativité linguistique* (phonèmes, morphèmes, lexèmes, néologismes, dérivés, composés) : ainsi, certains suffixes, comme *-eux (boueux)* disparaissent (ici, au
profit de *-eur, éboueur),* d'autres apparaissent (*-ing,* dans
parking, pressing, etc.) (1).

(1) L'évolution du langage est à suivre de près, et elle est particulièrement rapide dans certains secteurs : ainsi, le rôle du *e* caduc
final, permettant de faire prononcer la consonne qui précède, est mis

Il faut bien spécifier que notre batterie de signes *n'est pas calquée sur l'alphabet traditionnel*, qui ne saurait suffire à établir un bon découpage de la chaîne écrite. Le premier progrès à faire est de bien distinguer le *phonème* du *son*, le *graphème* de la *lettre* : que signifie, par exemple, la description alphabétique que l'on donne encore de nos voyelles *(a, e, i, o, u, y)* ? Cette dernière notation correspond-elle à une variante de *i*, comme dans *type*, ou à un yod, comme dans *bayer*, qui est une semi-consonne ? Et où sont les voyelles nasales, et celles de *feu, fleur, four* ? Il n'est pas étonnant qu'une approche *lettre à lettre*, coupée de l'oral et de la langue, apparaisse comme anarchique et démesurément difficile. D'autre part, il faut souligner qu'une description comme celle que propose l'équipe HESO part du *graphème au phonème* et non l'inverse. Ainsi OI est considéré comme un tout, alors qu'il correspond à deux phonèmes. Pour aboutir à une description ordonnée, l'équipe propose donc la notion d'*archigraphème*.

3. L'archigraphème. — Parmi les quelque 130 unités que compte, au bas mot, notre écriture (sans compter les graphèmes étrangers ou excentriques du type *ea, ee*, de *break, meeting*, etc.), 70 à 75 répondent plus ou moins exactement aux cinq critères de « filtrage » que nous nous sommes fixés : 36 graphèmes vocaliques, 30 graphèmes consonantiques, 6 graphèmes de semi-voyelles environ (la sélection demanderait encore à être affinée). Parmi eux, 45 graphèmes différents présentent à leur tour un plus haut degré de fréquence, de stabilité et de pertinence (dont certains, comme *e, s, c, g, en*, jouent plusieurs rôles mais ne sont comptés qu'une seule fois). Ils peuvent être considérés comme les graphèmes de base du français, suffisants pour

en brèche par l'entrée de nombreux emprunts dont la consonne finale est prononcée (cf. *vermouth, fjord, harem*, etc.), tout comme par la prononciation de plus en plus fréquente des lettres finales dans les monosyllabes (*soc, net, mat, vis*, etc., voir aussi p. 68). Dans la mesure où certaines distinctions phonologiques disparaissent, la fonction des graphèmes correspondants est remise en cause (ainsi, les oppositions de longueur vocalique, l'opposition entre [ɛ̃] et [œ̃], *brin* et *brun*, etc.

couvrir les besoins de communication immédiate d'un scripteur français débutant *(code de communication minimal)*. Enfin, un dernier filtrage, plus sévère encore, permet de distinguer 33 unités *théoriques*, et pourtant très proches de la réalité des faits, véritable *noyau graphémique* du français, qui constitue notre « alphabet » de signes fonctionnels *(système graphique standard)*.

Dans leur ensemble, les *archigraphèmes* sont, à leur tour, les « formes maximales stables » des graphèmes correspondants : on les retrouve dans toutes les positions, en toute place du mot (1). Quelques remarques cependant :

1) Leur rendement linguistique moyen est *très élevé* (80 à 90 % des phonogrammes correspondants selon les textes dépouillés). 2) Mais, là aussi, d'autres critères spécifiques peuvent interférer. Fallait-il, parce que le *s* intervocalique note [z] dans 90 % des cas, le choisir comme archigraphème ? Il se serait alors confondu avec celui de [s]. Une « entorse linguistique » à la règle de fréquence a donc été faite, et l'archigraphème proposé est exceptionnellement Z. A fréquence égale, c'est le graphème le plus *spécifique*, le plus indépendant des valeurs de position, le moins ambigu qui a eu notre préférence : AN par rapport à *en* [ɑ̃], J par rapport à *ge* (+ a, o, u), etc. 3) Par convention, c'est la *voyelle fermée, la consonne sourde* qui ont été choisies pour représenter leur série. 4) Enfin, contrairement à la règle que s'imposent (à tort selon nous) la plupart des alphabets phonologiques, les archigraphèmes acceptent et conservent *les digrammes* (ou trigrammes) du français : EU, OU, AN, IN, ON, UN, OI, OIN, ILL. etc. (2). Ils se trouvent ainsi très

---

(1) On les a mis, à tort, en parallèle avec les *archiphonèmes*. L'archigraphème note une « neutralisation » du graphème, mais en même temps il en est lui-même une des *réalisations*, de même que l' « archisémème » peut connaître en lexique une réalisation en tant que radical autonome. L'analyse graphique est *spécifique*, même si l'une de ses références (la principale) est l'oral. Chaque archigraphème est le *représentant* de l'ensemble des graphèmes de la série. Voir à ce sujet N. C., A propos de l'archigraphème, *Liaisons-HESO*, n° 11, janv. 1984, pp. 17-27.

(2) Pour plus de détails sur l'ensemble des listes de graphèmes et leur application à la pédagogie, cf. Bibl. [6], [7], [8], [12], [13] : en particulier N. C., Alphabet et tables de transcription du français, *ELA*, n° 8 ; Que faut-il entendre par système graphique du français ?, *LF*, n° 20, *Traité*, pp. 9-49. Voir en annexe un petit lexique des notions linguistiques utilisées ici, ainsi que la liste des graphèmes de base.

proches de la graphie réelle, et permettent directement l'application des règles de position (AN devient *a/ne*, OIN devient *oi/ne*, etc.). Voici donc cet alphabet (alphabet de *référence*, il faut le souligner, car il ne saurait suffire à la communication minimale) :

A	E	I	O	U	EU	OU
AN		IN	ON	UN		
		ILL				
		Y				
			OI			
			OIN			

P.B - T.D - C.G - F.V - S.Z - X - CH. J - L.R - M.N - GN

On imagine sans peine l'économie et la simplicité d'une description de ce genre tant dans l'approche du système que dans une perspective de progression didactique.

4. La notion de système et ses implications dans l'approche de l'écrit. — Il est intéressant d'avoir une évaluation chiffrée, même approximative (puisqu'elle dépend en partie des textes dépouillés) des différentes zones du « plurisystème » graphique du français :

Un premier sondage statistique avait été réalisé en 1972 par l'équipe HESO sur cinq textes nettement différenciés quant au niveau de langue et au type de discours utilisé (un poème, deux articles de journaux, un texte scientifique, le début d'un roman, en tout 3 346 mots, 16 347 graphèmes). Tous les phonogrammes (83 %) avaient été relevés et classés. La prédominance quasi absolue d'un certain nombre d'unités est apparue comme indubitable. Ainsi, pour les voyelles, on parvenait aux chiffres suivants (les lettres capitales notent l'archigraphème) :

— A couvrait 92 % des transcriptions des phonèmes [a] ou [ɑ] ;
— E couvrait 78 % des transcriptions du [e] ; 61 % des transcriptions du [ɛ] (*ai* 30 %, en discours) ;
— I couvrait 98 % des transcriptions du [i] ;
— O couvrait 75 % des transcriptions des phonèmes [o] ou [ɔ] ;
— U couvrait 100 % des transcriptions du [y] ;
— EU couvrait 93 % des transcriptions des phonèmes [ø] ou [œ] ;

— OU couvrait 98 % des transcriptions du [u] ;
— ON couvrait 92,8 % des transcriptions du [ɔ̃] ;
— UN couvrait 97 % des transcriptions du [œ̃], etc.

En revanche, il apparaissait nettement que certaines difficultés spécifiques étaient liées aux notations de quelques phonèmes, en particulier [ɑ̃], noté indifféremment *an* et *en*, et [ɛ̃], noté *in* (44 %), mais aussi *ain* (21 %) et *en* (23 %). Heureusement, l'ambiguïté exceptionnelle de ce dernier graphème se trouve en général levée grâce à sa *valeur de position*, c'est-à-dire en tenant compte de sa distribution : lorsqu'il transcrit [ɛ̃], il est le plus souvent précédé de *i*, *e*, *y*, comme dans *chien*, *lycéen*, *moyen*. Ce qui ne l'empêche pas, par un véritable don d'ubiquité, de se retrouver comme on sait dans des mots du type *examen* [ɛ̃], *specimen* [ɛn], *client* [ɑ̃], *vient*, *tient* [ɛ̃] et dans les *poules du couvent* [ɑ̃] *couvent* [-]...

La correspondance est ici rompue dans les deux sens : plusieurs phonèmes sont transcrits de façon semblable, et, ce qui est plus grave, le même graphème correspond à plusieurs phonèmes, ou au phonème zéro.

Pour les consonnes, à condition de tenir compte des alternances de position, les pourcentages étaient également très significatifs : *c* + *qu*, 98 %, *g* + *gu*, 100 %, *s* + *ss*, 69 %, *s* intervocalique, 90 %, etc. Cependant, l'existence de deux réalisations supplémentaires pour la plupart de nos consonnes (doubles parfois à l'intervocalique, muettes à la finale), réalisations dont nous n'avons pas tenu compte dans les chiffres ci-dessus, trouble dans des proportions non négligeables leur rendement phonogrammique. Dans l'ensemble des textes, le rendement des phonogrammes (la partie « prononcée » ou phonologique de notre orthographe) se monte à 82,51 %.

Outre l'avantage de connaître avec précision où se situent les points faibles du système, une telle analyse devrait conduire sur des bases sûres à une nouvelle attitude pédagogique : certes, le réseau des graphèmes, même pour cette partie centrale de notre orthographe qui transcrit les sons, est complexe. Certes, il faudra, par exemple, apprendre les principales représentations de [ɛ] ouvert, celles de *bec*, *règle*, *j'irais*, *reine*, *payer*, etc., et les lois qui régissent leur emploi (1). De plus, il faudra assez rapidement introduire l'habitude de tenir compte des lettres qui précèdent et de celles qui suivent le graphème, de sa position dans la syllabe, dans le mot, dans le groupe de mots, etc. Mais la certitude d'une *stabilité réelle dans la notation des phonèmes* (à condition d'en bien distinguer les unités véritables) permet d'une part une hiérarchisation des difficultés (ce qui est rencontré à la lecture n'étant pas forcément exigible à l'écriture), d'autre part la distinction entre le *noyau fortement fonctionnel* des phonogrammes et certaines graphies rares, pour ne pas dire exceptionnelles, et faisant corps avec le mot où elles se trouvent.

L'équipe HESO a également poursuivi le sondage réalisé plus haut afin de déterminer l'importance des deux autres zones constitutives du système, ainsi que de la zone supplémentaire de lettres historiques, étymologiques, etc., dont le lien synchronique avec le système est de peu de pertinence. Le résultat (en discours et non en lexique, il faut le souligner) ne laisse pas d'étonner :

— *morphogrammes grammaticaux* (*s* et *x* de pluriel, *e* du féminin, *s*, *x*, *t*, *d*, *z* et *r* verbaux) : 5,02 % des graphèmes seulement ;
— *logogrammes* (relevé réalisé d'après une liste de quelque 300 formes différentes de mots homophones, grammaticaux et lexicaux) : 5,81 % des mots ;
— *lettres muettes* : 12,47 % des graphèmes. Sont incluses dans les lettres muettes : les consonnes doubles graphiques, *h* (sauf dans CH, PH), les voyelles et consonnes muettes non grammaticales, qu'elles marquent ou non un lien avec des dérivés (nous n'avons pas pu les distinguer ici).

(1) E ouvert, dont la fréquence à l'oral n'est pas très grande (5,3 %) possède, il est vrai, de nombreuses transcriptions. Mais il n'est pas utile de lui en prêter d'autres, en confondant, comme on le fait trop souvent et *à tort pour l'ensemble des finales*, une notation stable (*ai* par exemple) avec certaines marques qui jouent sur le plan de l'écrit un tout autre rôle, comme *s*, *t*, *(e)nt*, etc. De même, les lettres terminales qui suivent *o*, *eu*, *ou*, dans *pot*, *peux*, *poux*, ne font pas partie du graphème, mais d'autres zones du système.

Un second inventaire statistique, afin de renforcer et de compléter le premier, a été également réalisé sur les 3 724 mots de l'*Echelle Dubois-Buyse* (de F. Ters, Meyer, Reichenbach, Bibl., [26]), liste de fréquence particulièrement importante, puisque prise en grande partie dans le vocabulaire le mieux connu des enfants : les résultats sur ce type de lexique sont encore plus nets (sur 20 553 graphèmes) :

— *phonogrammes* : 83,50 % des graphèmes (dont archigraphèmes 85 %) ;
— *morphogrammes* : 3,67 % des graphèmes (chiffre très faible, dû au corpus lexical) ;
— *logogrammes* : 3,27 % des mots ;
— *lettres muettes* : 12,83 % des graphèmes.

Que peut-on conclure d'une telle méthode d'approche ? Une étude linguistique et statistique de nos graphèmes est nécessaire à celui (en premier lieu le maître) qui désire ramener un ensemble apparemment anarchique à ses lignes de force essentielles. La notion de *fréquence* (fréquence des phonèmes, fréquence des graphèmes, fréquence des mots, etc.), celle de *système* (ou du moins de grands ensembles) et celle de *mesure* (des progrès et des difficultés) peuvent permettre d'économiser de façon efficace beaucoup de temps et d'efforts.

Notre « plurisystème » est une orthographe *phonologique* (à plus de 80 %), dans une certaine mesure *morphologique* (avec une concentration extrême des « morphogrammes grammaticaux », bien moindre des « morphogrammes lexicaux »), et enfin en partie *distinctive* (les distinctions des homophones grammaticaux étant de loin plus informatives que celles des homophones lexicaux). Il est vrai, cependant, qu'un certain nombre de variantes « redondantes », n'apportant qu'une « information » minime ou même nulle, gênent en français non seulement le scripteur mais le lecteur.

Une confirmation irrécusable du caractère fondamentalement phonologique de notre orthographe est venue des travaux informatiques : de nombreux programmes de « phonétisation » ont été réalisés, permettant de passer automatiquement d'une chaîne écrite quelconque à un alphabet phonétisé (susceptible ensuite d'être oralisé en parole synthétique), à l'aide d'un ensemble de règles de correspondance, ainsi que de règles morphosyntaxiques et lexicales adéquates (cf. N. C., *La phonétisation automatique du francais*, éd. du CNRS, 1984, et le correcteur à entrée phonétique *Voisinette*, HESO, 1990).

5. Ambiguïté, information et redondance de la chaîne écrite. — Nous venons d'introduire ici deux notions supplémentaires : celle de « redondance » et celle d' « information ». Sans calquer, comme on le fait parfois, de façon mécanique l'apport d'une science sur une autre, il est apparu ces dernières années que la théorie de l'information pouvait éclairer bien des aspects de la fonction de communication, orale et écrite.

J. Dubois, par exemple, a nettement dégagé, sous cet angle, les fonctions des lettres « muettes », de la partie autonome du système graphique : outre leur aspect *traditionnel* (qui aide d'ailleurs à la mémorisation, et participe par là à la loi de *permanence graphique*, qu'il ne faut pas sous-estimer), et leur aspect *syntagmatique* (elles permettent une meilleure cohésion visuelle des groupes de mots reliés dans la phrase par une même fonction), ces lettres joueraient, en cas de déficience du système, un rôle de *suppléance*. Ainsi, dans *les importations de vin espagnol* (ou *espagnoles*), seul l'écrit permet de savoir s'il s'agit des *importations* ou du *vin*. Dans les *voiles noirs* (ou *noires*), deux marques permettent, à l'écrit, de lever l'ambiguïté de l'oral. C'est là par conséquent une « redondance utile », telle qu'elle fonctionne dans tous les types de communication. Une telle fonction de l'écrit est indiscutable, et elle apporte une aide non négligeable à la lecture visuelle de l'adulte. Reste à savoir quand une trop grande surabondance d'information devient elle-même « entropie ». On a pu évaluer l'information moyenne d'un code optimal de 27 signes (nos 26 lettres et le blanc), dans lequel chaque signe serait équiprobable et indépendant du contexte. Cette information moyenne *tombe de moitié* si l'on doit tenir compte non seulement du signe précédent, mais des deux signes qui précèdent ou qui suivent, comme c'est parfois le cas en français. Sans tomber dans les excès de certains informaticiens qui prétendent, à tort, que l'ordinateur ne peut accepter les « complications » de l'orthographe française, cédille, signes auxiliaires, etc., il est certain qu'une réflexion sur une véritable et nouvelle *économie* linguistique et typographique est à faire, en particulier pour nos quatre accents (aigu, grave, tréma, circonflexe), que l'on pourrait dans la plupart des cas réduire à un seul signe polyvalent (l'accent plat).

6. Français oral, français écrit.

— D'autre part, il ne faut pas se cacher que le français continue d'évoluer. Certes, il y a un noyau stable, sur lequel peut se fonder une description du système. Sur le plan graphique, comme sur le plan phonique, une évolution se fait jour cependant, qu'il ne faut pas sous-estimer. Il serait faux de croire que la fixation de la graphie (toute relative d'ailleurs, comme nous l'avons vu) suffise à la fixation de la langue. La forme des mots est trompeuse : *ce qui compte sur le plan graphique, c'est le rapport entre l'écrit et l'oral à une époque donnée, autrement dit la traduction du graphème en phonème et inversement.*

Il peut se produire plusieurs types de modifications :

— *Phonique* d'abord : l'exemple le plus frappant est celui de *ill*, graphème spécifique qui correspondait à l'ancien *l* mouillé jusqu'au XIXe siècle (prononcé un peu comme dans *million, millionnaire*), et qui a rejoint depuis les autres graphies du yod (*i, ï, y*, etc., dans *hier, faïence, yeux*).

— « *Phonographique* » : certains groupes de lettres sont sentis comme les graphèmes correspondants, et leur prononciation s'aligne sur ce nouveau découpage : c'est le cas des groupes *gu, qu, gn, ch*, etc., dans *aiguiser, arguer, quintette* (prononcés d'abord comme dans *aiguille, cuiller*), *magnanime, trochée* (prononcés d'abord *mag-nanime, tro-kée*), etc. Le phénomène est parfois double, et atteint deux unités phoniques différentes : ainsi *mo-ignon, po-ignet, po-ignard* (à côté de *pognon*, mot populaire qui n'a pas été touché), *enco-ignure, bru-yère, gru-yère*, etc., sont devenus ou deviennent *moi-gnon, poi-gnet, poi-gnard, encoi-gnure*, [brꭒijɛr], [grꭒijɛr], etc.

— Purement *graphique* enfin : beaucoup de consonnes ou de groupes de consonnes qui n'avaient jamais été prononcées auparavant le deviennent aujourd'hui, sous l'influence de l'orthographe. Le phénomène a été étudié par Vl. Buben en 1935 (1). Il n'a pas cessé depuis. Le *r*, le *l* sont les plus touchés : les meilleurs exemples en sont d'une part les infinitifs des deuxième et troisième groupes (*mourir, devoir*, dont le *r* ne se prononçait généralement pas au XVIIIe siècle), d'autre part les mots en *-il* (*grésil, mil, gril*, etc.) où la consonne est très généralement prononcée aujourd'hui. Le besoin de distinguer entre eux les monosyllabes les fait aujourd'hui prononcer dans certains cas : *nez* et *net, sot* et *soc, rot* et *roc, art* et *arc, dos* et *dot*, etc. Le bénéfice est moins évident pour les consonnes doubles (que certains speakers jugent utile de faire sonner, par ignorance ou snobisme) et les groupes de consonnes (ex. les mots en *-pt, -ct*, du type *prompt, exact, distinct*, etc.). Notre langue, qui ne prononçait il y a deux siècles pratiquement aucun groupe de consonnes, si ce n'est avec les liquides (*r* et *l*), se surcharge actuellement, sous les actions combinées des emprunts, de l'école, de l'orthographe, etc., de nombreux groupes internes et finaux (*cheptel, dompter, sangsue*, etc.), ce qui constitue sans doute la modification la plus importante que l'on puisse noter en français depuis la disparition du *l* mouillé (2).

Parmi les transformations phoniques les plus importantes, il en est une qui a profondément atteint la qualité des rapports phonographiques du français : il s'agit de la perte de certaines *oppositions de timbre et de longueur*, au profit de voyelles dites « moyennes ».

(1) *Influence de l'orthographe sur la prononciation du français moderne*, Bratislava et Paris, Droz, 1935. Cf. aussi *DHOF* (*Paragraphes de synthèse* [Bibl. 4]), pour l'étude systématique de tous ces phénomènes.
(2) Ces transformations ont du moins l'avantage de rapprocher la prononciation de l'orthographe, alignement ouvertement souhaité par l'Académie en 1905 : « L'Académie, trouve-t-on dans le rapport d'E. Faguet, à propos de la simplification de l'*r* double graphique de *amarrer, barrer, barreau*, etc., a une tendance à maintenir cette double *r*, l'orthographe dût-elle amener une prononciation moins molle, moins nonchalante, que l'Académie jugerait plutôt souhaitable » (p. 16).

« Dans la plus grande partie des cas, dit A. Sauvageot, la distinction de timbre pourrait être abolie sans dommage appréciable pour l'intelligibilité... On semble s'acheminer vers un état nouveau où le timbre des voyelles à double timbre sera conditionné uniquement par la position du phonème dans le mot ou la séquence de mots » (1). De son côté, B. Malmberg (*Phonétique française*, Hermods, 1969, p. 36) propose de distinguer un « système maximal » (à 15 voyelles, non compris le [ə] caduc), et un « système minimal » à 10 voyelles, suffisantes, selon lui, pour assurer l'intercommunication des locuteurs français, quelle que soit leur région.

Pour notre part, nous nous rallierions volontiers, avec quelques nuances, à cette dernière formule, simplificatrice et, à notre sens, conforme à la réalité des faits. Sur le plan graphique, notons que ces oppositions de timbre et de longueur ont joué un rôle important dans l'histoire et la fixation de notre orthographe (accent circonflexe, oppositions è/ai, ei, o/au, eau en syllabe ouverte, consonnes doubles après voyelle brève, etc.). Nous arriverions ainsi, ce qui est important pour la pédagogie, à deux « systèmes standard » somme toute assez proches l'un de l'autre, compte tenu des valeurs de position :

— un *système phonique minimal* à 7 voyelles orales ([a, e, i, o, y, ø, u]), avec trois variantes positionnelles en syllabe fermée (ɛ, ɔ, œ] ; trois voyelles nasales (quatre si l'on maintient [œ̃]), et le [ə] caduc, qu'il me semble personnellement important de retenir (11 à 12 voyelles) ;

— un *système graphique minimal* qui recoupe assez exactement l'oral, avec 11 archigraphèmes vocaliques (A, E, I, O, U, EU, OU, AN, IN, ON et UN qu'il me semble préférable de conserver, du moins pour l'instant, en raison de son alternance avec *une*). En ce qui concerne les trop nombreuses variantes « graphémologiques » marquant anciennement les oppositions de longueur, il est certain qu'elles cessent d'être utiles dans la mesure où elles cessent d'être pertinentes, et qu'il faudra bien, un jour, en tirer les conséquences, en particulier en restreignant de façon très stricte l'usage de l'accent circonflexe.

(1) Le rendement des oppositions vocaliques en français contemporain, *Le français dans le monde*, juin 1967, pp. 12-15. Notons qu'un tel état est déjà reconnu comme étant le nôtre dans le midi de la France, depuis fort longtemps. Pour l'opposition pratiquement disparue aujourd'hui entre *a* postérieur et *a* antérieur (ex. : il *bat*, *bas*, ou le *bât*), cf. O. METTAS, *La prononciation parisienne. Aspects phoniques d'un sociolecte parisien*, SELAF, 1979.

Trois faits se dégagent de cette première partie :

— *Notre orthographe a une histoire*, elle a profondément changé, et par conséquent elle peut le faire encore. Certes, le rythme de ses transformations n'est pas le même que celui de la langue orale. Mais elle n'était pas la même sous le système féodal, à l'époque du moyen français, et dans les temps modernes. Ce ne peut être l'effet du hasard. La dégénérescence des anciennes écritures a agi sur elle, comme aussi la victoire éclatante de l'imprimerie, la transformation des conditions de lecture, les renaissances littéraires des XVIe et XVIIe siècles, la montée de la bourgeoisie au XVIIIe siècle, la lutte constante des modernistes, le rôle social de l'école, la centralisation bonapartiste, etc. Certes, cette évolution s'est ralentie depuis. Mais, sous l'effet des transformations sociales et techniques actuelles, ce mouvement a repris avec plus de force que jamais.

— *Elle a évolué avec la langue*, savante ou populaire, savante *et* populaire. Le *Serment de Strasbourg* est un document déjà archaïsant, mais il n'a pas empêché l'épanouissement du roman, et le français n'est plus du latin. A l'écrit comme à l'oral, bien des anciennes diphtongues ont disparu, le *s* devenu muet a été balayé de l'intérieur des mots, *oi* prononcé [ɛ] est devenu *ai* ou *e* (*congnoistre* est devenu *connoistre*, *connoître*, *connaître*, écrit *connaitre*, sans accent, par les dernières *Rectifications*). Sur le plan morphologique, c'est surtout l'analogie qui a joué : *marchant* est devenu *marchand*, *verd* (malgré *verdure*) est devenu *vert*, à cause de *marchande*, *verte*. Nos finales verbales se sont alignées, ordonnées. Comme signe du pluriel, *z* a fait place au *s* après *e* fermé (*amitiés*, comme *hommes*, *femmes*). Il reste beaucoup à faire, certes. Cependant, il est réconfortant de penser que la plupart de ces modifications ont eu lieu, depuis les débuts des temps modernes, dans le sens d'une simplification.

— *Nous n'avons pas une tradition orthographique, mais deux* : l'une, plus étymologique et se réclamant des habitudes du moyen français : l'autre, plus phonologique, et remontant à l'ancien français ; reprise au XVIe siècle, entérinée en partie au XVIIIe siècle, elle ne demande qu'à retrouver sa force, et possède, tout comme l'autre (plus sans doute). ses lettres de noblesse.

Il faut s'en persuader : il existe en français un ensemble de graphèmes de grande fréquence, de haute stabilité, que l'on retrouve à peu près intacts depuis le Moyen Age. Les réformateurs eux-mêmes, pour la plupart, y sont au cours des siècles restés attachés. Cette « orthographe fondamentale », toute proche, par les rapports qui la déterminent, de celle des autres langues romanes, nous l'avons encore. Si l'on avait continué, comme faire se doit, et comme le font périodiquement la plupart des pays, à effectuer à temps les quelques réformes exigées par l'époque et l'évolution en cours, le consensus qui existait au XVIIIe siècle aurait persisté : les révolutionnaires étaient, quant à eux, suffisamment satisfaits de leur orthographe pour ne pas y avoir touché.

Quant à la partie grammaticale et sémantique de notre « plurisystème », les recherches sur les autres langues, des plus anciennes écritures aux plus récentes, prouvent qu'il n'y a rien là d'exceptionnel : la plupart des grands systèmes graphiques, du cunéiforme à l'anglais, présentent une telle « prise de sens », qu'il faut de toutes façons prendre au sérieux. C'est la part considérable des graphies traditionnelles (plus de 12 %) qui, en français, voile le fonctionnement de l'ensemble, et qu'il faudra bien, progressivement et en toute connaissance de cause, éliminer pour dégager les lignes essentielles de ce qui constitue, somme toute, un admirable instrument de communication (1).

(1) Sur la « mixité » de la plupart des grands systèmes d'écriture du monde anciens et modernes, cf. *Pour une théorie de la langue écrite* (N. Catach éd.), Ed. du CNRS, 1988, et *Textes et Documents pour la classe*, revue du CNDP, Les systèmes d'écriture, mars 1992 (sous la dir. de N. CATACH).

Chapitre V

LA RÉFORME DE L'ORTHOGRAPHE

La réforme de l'orthographe date de l'orthographe elle-même. Si l'on appelle réformes toutes les transformations qu'a subies notre langue écrite depuis ses origines, il y en a évidemment beaucoup et elles n'ont pas, tant s'en faut, toutes échoué. Mais l'on ne parle en général de *réformateurs* que depuis qu'ils ont eu à s'*opposer à un état de choses existant, et qui leur échappait,* ce qui n'est pas toujours le cas. Ici, quelques explications sont nécessaires.

I. — Les responsables de notre orthographe

Les responsables de notre orthographe sont d'abord les écrivains, puis les juristes. Certains manuscrits du Moyen Âge portent déjà la trace de signes (comme le *e* cédillé, remplaçant *ae* du latin, ou les signes de ponctuation) tendant à améliorer la lisibilité (1). Puis les imprimeurs prennent la relève : G. Tory, E. Dolet et d'autres humanistes ont essayé d'adapter ces améliorations au français. Au début, ils ont réussi. Mais, très tôt, ils se sont heurtés à une opposition.

Au XVIe siècle, l'orthographe commence à échap-

(1) A. Thomas, Une tentative de réforme de l'orthographe sous Philippe le Bel, dans *Le journal des savants,* Paris, 1916, in-4°.

per aux auteurs : au lieu d'être attachée à un individu, à un style d'écriture ou de pensée, elle devient, avec l'imprimerie, sociale et technique.

L. Meigret, phonéticien convaincu, nous dit qu'il a mis plus de dix ans à trouver l'atelier et les caractères dont il avait besoin pour sa réforme. Encore le résultat n'est-il pas brillant. J. Péletier du Mans, furieux de voir défigurer ses idées orthographiques, s'installe chez son éditeur pour tout le temps qu'il imprime ses livres, afin d'en surveiller les épreuves. Il comprendra alors si bien que là se situe le vrai problème qu'il se transformera en commis-voyageur de l'orthographe, allant sur place à Poitiers, à Lyon, à Bordeaux, assumant partout le métier de correcteur, parvenant si bien à convaincre les éditeurs (en particulier le meilleur imprimeur de France, Jean Ier de Tournes, à Lyon) qu'il a ainsi bien failli réussir. Péletier (qui pour ses œuvres personnelles restait fidèle à une écriture quasi phonétique) avait compris que seule une réforme modérée, comme celle qu'avait adoptée Ronsard, pouvait largement se répandre (*Orth. Ren.*, pp. 99-107). Il avait compris aussi l'importance de la pédagogie. A Bordeaux, où il devient régent du Collège de Guyenne, il trouve des appuis tels que pour une certaine période l'orthographe réformée devient celle du Collège. Nous en avons la preuve avec Montaigne, qui ne connaissait pas d'autre orthographe que celle-là et en était assez ennuyé (1). De même, un siècle plus tard, c'est le correcteur Simon Moynet qui supervise les éditions françaises des Elzeviers, et y introduit systématiquement des innovations importantes. *Durant deux siècles environ, (1550-1750) les principales réformes introduites en français le seront surtout par les gens du Livre, en accord ou non avec les auteurs.*

Second facteur de changement : *les dictionnaires.* On sait le rôle joué dans le sens de la tradition par le *Dictionnaire francoislatin* de Robert Estienne (1549). Mais il n'est pas le seul. Quoi qu'ils en disent, les auteurs des dictionnaires ont toujours pris, et prennent encore, de grandes responsabilités en ce domaine. Là encore, par leur truchement, comme par celui des écrivains et des imprimés, c'est le

---

(1) Cf. N. C., L'orthographe de la Renaissance à Bordeaux, *Bull. des Bibliophiles de Guyenne*, 35 p., f.s., Bordeaux, 1969.

libre jeu qui peut, dans une certaine mesure, s'exprimer. Le *Dictionnaire* de Richelet a eu une influence sans doute sous-estimée jusqu'ici sur les réformes faites au cours du XVIIIe siècle. Revu par Restaut, il s'éditait encore au XIXe siècle. Le marseillais Feraud (1787) est le premier à avoir systématiquement introduit, après Voltaire, *ai* pour *oi* prononcé [ɛ] (réforme entérinée par l'Académie en 1835).

Nous n'avons pas beaucoup parlé, jusqu'ici, des *variations orthographiques* (cf. cependant chap. IV, I). Si nous insistons sur le fait qu'on n'écrivait pas jadis « comme on voulait », et qu'il y avait bel et bien *des* orthographes, qui se sont ensuites réduites à deux tendances principales (trois, si l'on compte les systèmes radicaux des phonéticiens), cela ne veut pas dire que les variations n'existaient pas. Coquilles, innovations ou archaïsmes, elles étaient partout et il n'est pas toujours aisé de les ramener à des modèles, de même qu'elles sont partout aujourd'hui dans les écritures non professionnelles (où elles sont appelées « fautes ») : « Dans la langue Francoise, nous dit d'emblée Mézeray *(Observ.)*, comme dans la plus part des autres, l'orthographe (ou vraye maniere d'ecrsire) n'est pas tellement fixe et determinee qu'il ny ayt plusieurs mots qui se peuuent escrire de deux différentes manieres. » Une fois connus les usages communs d'une époque (l'orthographe — ou les orthographes — *ordinaires* du temps), c'est *à partir de ces dernières* qu'il faut juger des écarts, et non pas, comme on l'a fait trop souvent, à partir d'un « idéal » qui, comme par hasard, se trouve être notre usage actuel. Cela dit, il y a les écarts, et ils sont nombreux. Certains sont féconds, et porteurs de l'usage à venir. D'autres troublent la communication, gênent le message, encombrent la langue. Le choix s'est fait de plus en plus impératif : fallait-il laisser faire, ou fixer l'usage ? On a fixé l'usage, un peu trop impérativement.

Troisième facteur de réforme : *l'Académie française*. Bien qu'investie d'une charge qui d'ailleurs la dépassait, l'Académie n'a pas rompu d'abord le dialogue avec l'opinion.

« L'usage », dit la *Préface* de l'édition de 1718, reprise sur ce point par les éditions suivantes, « qui en matiere de langue est plus fort que la raison, introduit peu à peu une maniere d'escrire toute nouvelle, l'ancienne nous eschape tous les jours, et comme il ne faut point se presser de la rejetter, on ne doit pas non plus faire de trop grands efforts pour la retenir ». Le jeu de la balance se fait, à partir du milieu du XVIIIe siècle, non plus entre tous ceux qui écrivent, ni entre auteurs et imprimeurs, dictionnaires et usagers, mais entre l'Académie et la nation. Avec Napoléon, celle-ci a capitulé. L'orthographe ne fait plus partie du style, d'un niveau de langue, d'une culture. Elle a été, en France, extériorisée, et en partie momifiée.

Et les grammairiens ? Nous n'avons pas jusqu'ici beaucoup parlé d'eux. Faut-il croire qu'en France on ne les ait pas écoutés ? On serait tenté de le croire, si l'on songe aux mésaventures de Meigret, de Péletier, de Ramus (qui de son temps n'a guère été suivi), ou, plus près de nous, de nos plus grands linguistes, F. Brunot à leur tête.

Si l'on compare, là encore, à ce qui s'est fait à l'extérieur de nos frontières, il semble vrai qu'en France au moins « nul n'est prophète en son pays » : depuis Gaston Paris, au début du siècle, aucun linguiste ni grammairien n'est plus entré à l'Académie française. Et pourtant ils ne sont pas rares à toutes les époques, ceux qui ont composé les alphabets ou amélioré l'écriture de leur peuple : l'évêque Ulfila, qui fit l'alphabet des Gots ; Cyrille et Méthode, qui composèrent l'alphabet cyrillique, le grand Vuk, qui composa l'alphabet serbe et, en France même, Le Gonidec et Falc'hun qui donnèrent leur alphabet aux Bretons. En Espagne les doctrines de Nébrija, en Italie celles d'Alberti, de Trissino, de Salviati et bien d'autres, furent suivies de leur temps et après leur mort. Ce sont des commissions de grammairiens et de linguistes qui ont mis au point, au début de ce siècle, les réformes de l'Allemagne, de l'ancienne Académie russe (qui ont préparé celles de l'Union soviétique) ; plus près de nous, de la Turquie, de la Hollande, des pays de l'Est, du Brésil et du Portugal, etc. (1). Ces pays et bien d'autres ont écouté et écoutent encore leurs spécialistes, préférant dominer un mouvement inéluctable plutôt que le laisser se faire dans l'inconscience et le désordre.

(1) Sur les réformes adoptées par les différentes langues en Europe, cf. Orthographe et systèmes d'écriture, *ELA* [5] ; L'orthographe, *Cahiers pédagogiques* [4] ; *Mots*, n° 28, sept. 91 ; *Liaisons-HESO*, n° 19, Recherche et réforme, mars 1992.

Cependant, il n'est pas tout à fait juste de dire que nos grammairiens n'ont pas été suivis, alors qu'ils ont par ailleurs tant agi sur notre langue. Qui fut plus prestigieux que le grammairien R. Estienne, imprimeur du roi ? Et Malherbe, qui ne s'est guère préoccupé d'orthographe ? Et Mézeray, qui a émis le seul traité d'orthographe que l'Académie ait jamais donné, traité où se trouvent exposés les « préceptes » qui prévalent encore aujourd'hui ? De leur côté, les grammairiens phonéticiens ont agi, eux aussi, en véritables réformateurs de l'orthographe, à la fois par leurs recherches sur la langue orale et par leurs propositions.

Ronsard a eu plus de succès que Meigret. Il y a là une leçon à retenir pour les siècles qui vont suivre. Encore faut-il spécifier que les idées de Ronsard venaient de Meigret, et surtout de Péletier. Ce dernier, nous l'avons dit, avait parfaitement conscience des difficultés linguistiques et des conditions sociales d'une réforme en France (contrairement à ce qu'a affirmé F. Brunot de lui, qu'il était « un révolutionnaire honteux et timoré »), et il était tout proche de Ronsard en cela, dont l'instinct de poète l'avait conduit tout droit aux réformes qui devaient et pouvaient réussir (1). Au XVIIᵉ siècle, Ménage et Vaugelas ont agi plus que L'Esclache, pour les mêmes raisons, ce dernier, dont la réforme était cependant rationnelle et bien conçue, étant allé trop vite et trop loin. Cependant, ses conférences étaient très suivies, et il n'a pas peu contribué à ébranler l'opinion.

Au XVIIIᵉ siècle, les grammairiens sont tout naturellement des modernistes, et ils ont pourtant réussi, parce qu'ils ont su s'arrêter à temps. Duclos, le plus hardi, disait : « L'orthografe des fames, que les savans trouvent si ridicule, est plus raiso-

(1) Péletier oppose à Meigret, pour le modérer, l'usage, la peur du changement, la « différence des vocables », la « dérivaison », et même « la source d'un vocable », c'est-à-dire l'étymologie. Il prend aussi en compte l'esthétique, remarquant que « les vocables rehaussés de lettres qui montent ou descendent en dehors de la ligne ont plus belle apparence » (*Dialogue de l'orthographe*, p. 50). Meigret répond sèchement : « Pour te satisfére en té remontrançes pleines de creinte, je suys d'avis qe qi a peur de'feulles ne voeze point ao boes (qui a peur des feuilles n'aille point au bois). »

nable que la leur. Il vaudroit bien mieux que les savans l'adoptassent, en y corigeant ce qu'une demi éducation y a mis de défectueux, c'est-à-dire de savant » (1756). Mais c'est d'Olivet (lequel regrettait dans sa *Prosodie*, en 1767, les lettres muettes, disant que « bien loin de nuire à la prononciation, elles servoient à la fixer ») qui mènera le combat à bonne fin, lui qui était simplement pour « une orthographe sagement réglée, et qui tienne le juste milieu entre les ridicules excès où se porte l'ignorance des imprimeurs et la témérité de quelques écrivains ». Durant la Révolution, en 1791, l'illustre grammairien F. de Wailly, dont *L'orthographe des dames*, ouvrage écrit en orthographe réformée, jouissait d'un grand succès (j'en connais personnellement au moins onze éditions de 1762 à 1803), est requis par Domergue et ses amis pour mettre au point une réforme assez hardie : le corps enseignant des Ecoles normales la repousse (1).

Au XIXe siècle, les conditions sont différentes. Au libéralisme culturel de l'Ancien Régime succède une lutte à travers la culture. Là aussi, les grammairiens sont écoutés : ce sont Lhomond (nombreuses rééditions), Girault-Duvivier (1811), Noël et Chapsal (1825) qui font la loi, et avec eux commence cette transformation de l'orthographe en catéchisme ou en recettes de magie noire, qui va atteindre son point culminant au siècle suivant. Inversement, le mouvement de réforme se durcit. En 1826, avec la montée d'un nouveau mouvement démocratique, les partisans d'une simplification se regroupent.

On connaît la mésaventure de Marle avec les académiciens, dont le résultat le plus clair a été de tourner en dérision toute réforme, ce que la presse fera dorénavant avec un bel ensemble (2). Il est vrai qu'il était allé trop loin : il avait osé publier la lettre d'un académicien en orthographe réformée.

(1) Cf. Dupuy, *L'école normale de l'an III*, rapporté par F. B., dans *Histoire de la langue et de la littérature françaises*, de L. Petit de Julleville, A. Colin, 1895-1899, t. VII.
(2) Cf. J.-P. Saint-Gérand, La question de la réforme de l'orthographe entre 1825 et 1851, *FM*, janv. 1976, Marle proposait un projet hardi, auquel s'était, semble-t-il, rallié un vaste mouvement d'opinion.

Les premiers socialistes, Fourier, Cabet, lui avaient accordé leur appui.

Une Révolution, celle de 1830, arriva, et le pouvoir politique qui la suivit (Louis-Philippe, qui avait pourtant donné au début son adhésion à l'*Appel aux Français*) oublia ses promesses.

II. — L'arrêté de 1901

Pourtant, le mouvement n'était pas mort. Il reprit bientôt, d'une façon dispersée d'abord, puis les partisans d'une réforme se regroupèrent. Nous avons dit l'échec du mouvement de 1900. Nous lui devons cependant la seule concession que le pouvoir ait alors faite à l'opinion réformatrice, et elle n'était pas sans intérêt : il s'agit de l'*Arrêté du 26 février 1901*.

Le ministre de l'Education l'a pour l'essentiel repris en 1977 (*JO* du 9 février 1977) et demandé qu'il entre enfin en application, sans plus de succès semble-t-il jusqu'ici (1). Les principes directeurs de cet arrêté étaient fondés sur la *tolérance* (essentiellement dans les examens) : « Il conviendra, dans les examens, de ne pas compter comme fautes graves celles qui ne prouvent rien contre l'intelligence et le véritable savoir des candidats, mais qui prouvent seulement l'ignorance de quelque finesse ou de quelque subtilité grammaticale. » Effectivement, les points mis en cause sont précisément les plus contestés et les plus flottants : accord du complément déterminatif (des confitures de *groseille* ou de *groseilles*), pluriel du complément d'objet (ils ont ôté *leur chapeau*, ou *leurs chapeaux*) ; pluriel des noms propres, des mots étrangers, des mots composés (que l'on peut dorénavant écrire sans trait d'union) ; accord des adjectifs et des participes (*nu* ou *nus pieds*, *nouveauné*, *courtvêtue*, que l'on peut écrire soudés, envoyer une lettre *franc* ou *franche* de port, elle a l'air *doux* ou *douce*, etc.) ; emploi des adjectifs numéraux (les chiffres en dessous de cent peuvent s'écrire sans trait d'union, *quatre vingt*

(1) *L'arrêté relatif à la simplification de l'enseignement de la syntaxe française* est reproduit dans M. GREVISSE, *Le bon usage*, toutes éditions, appendice, et en annexe de certaines grammaires actuelles. Les passages des arrêtés des 31 juil. 1900 et 26 févr. 1901 concernant les mots composés sont reproduits dans *Orth. lex.*, II, pp. 52-56. Cf. aussi *Liaisons-HESO*, n° 19, qui, outre l'arrêté, donne également de larges extraits du dernier rapport sur les *Rectifications de l'orthographe française* (6 déc. 1990) [Bibl. 21].

dix hommes) ; emploi de *même, tout, aucun, chacun,* etc. ; emploi des verbes composés (et tolérance d'emploi de *est il,* sans trait d'union) ; accord avec plusieurs sujets (sa bonté, sa douceur le *fait* ou le *font* admirer), ainsi qu'avec des noms collectifs, etc.

Certains détails relevés ici ne concernent pas l'orthographe (genre et nombre des mots *aigle, amour, délice, orgue, automne, enfant, gens, orge,* etc.) ; d'autres sont dépassés (comme la question du genre du mot *automne*). Le point le plus discuté avait été, bien entendu, l'accord du participe passé avec *avoir*. Dans un premier *Arrêté* (juillet 1900), G. Leygues avait admis « qu'il reste invariable dans tous les cas où on prescrit aujourd'hui de le faire accorder avec le complément. Exemples : les livres que j'ai *lu* ou *lus* ; les fleurs qu'elles ont *cueilli* ou *cueillies* ; la peine que j'ai *pris* ou *prise* ». L'Académie refusa. La seule chose qu'on obtint fut que « lorsque le participe passé est suivi soit d'un infinitif, soit d'un participe présent ou passé, on tolérera qu'il reste invariable (arrêté Haby, I. 10 : « On admettra l'absence d'accord »). Exemples : la femme que j'ai *entendu* (ou *entendue*) chanter... les sauvages que l'on a *trouvé* (ou *trouvés*) errant dans les bois. On aurait pu faire remarquer que l'accord « la peine que j'ai *pris*, ou que j'ai *prise* » n'est pas un point d'orthographe, mais un point de langue, qu'elle aurait dû enregistrer, puisqu'elle se prétend le « greffier de l'usage ». La norme (qui jamais, par ailleurs, ne fut chez nous plus artificielle ni plus lourde) pèse ainsi depuis plus de quatre siècles sur l'usage, sans parvenir à lui imposer ce qui est contraire à son évolution. *L'acceptation des deux tournures, qui sont effectivement entendues toutes les deux, est de toute évidence la seule solution raisonnable,* avec les conséquences de tolérance que cette acceptation entraîne sur le plan de l'orthographe. On sait que cette « invention du diable » n'est pas « française », ni même latine, mais a été reprise de l'italien au XVIᵉ siècle (Marot) (1).

---

(1) Le rapport du 6 déc. 1990 précise que le participe passé « sera invariable dans le cas de *laisser* suivi d'un infinitif *(elle s'est laissé mourir)* ». Rappelons cette phrase, parue à titre d'exemple de bizarreries d'orthographe dans *Vie et langage* (1953) et citée par P. BURNEY *(L'orthographe,* « Que sais-je ? », p. 102) : « Elles se sont *ri* de nous et nous nous sommes *moqués* d'elles ; elles se sont *plu* à nous taquiner et nous ne nous sommes pas *souciés* de leurs railleries. » Et P. Burney a raison d'insister en disant : « L'accord des professeurs et des linguistes est sur ce point à peu près unanime : la simplification de l'accord du participe passé doit être décrétée — ou du moins « tolérée » — au plus vite. Elle n'offre aucune difficulté sérieuse, aucun inconvénient réel, et la langue ne fera qu'y gagner » (p. 103).

Les arrêtés de 1901 et 1977 n'ont jamais été appliqués. Les enseignants en général ignorent même leur existence, parce que, depuis près d'un siècle, *ces décrets officiels ont été proprement escamotés*.

L'arrêté de 1977 reprend certains des articles de 1901, en modifie ou en introduit d'autres, en particulier :

1) La possibilité d'écrire, sans être sanctionné aux examens et concours, les voyelles sans l'accent circonflexe « sauf lorsque cette tolérance entraînerait une confusion entre deux mots en les rendant homographes (par ex. : tâche/tache ; forêt/foret ; vous dîtes/vous dites ; rôder/roder ; qu'il fût/qu'il fut) ». [Encore faudrait-il que l'existence de ces homophones soit connue des enfants.]

2) La possibilité d'écrire, dans les mêmes conditions, en omettant le trait d'union : « Dans tous les cas, on admettra l'omission du trait d'union, sauf lorsque sa présence évite une ambiguïté : petite-fille/petite fille » [même remarque que plus haut], ou dans *viendra-t-il*, forme verbale suivie du *t* euphonique et pronom sujet postposé (1).

Ce nouveau décret se situe, il faut le souligner, bien en deçà du précédent, délaissant des secteurs où une libéralisation de l'usage serait possible et souhaitable, et laisse entiers les véritables problèmes de l'orthographe française.

Ainsi, sur le point particulièrement important de l'accord du participe passé avec *avoir*, l'arrêté admet, il est vrai, l'accord après certains verbes intransitifs comme *coûter*, *valoir*, *courir*, *vivre*, etc., ex. : « Je ne parle pas des sommes que ces travaux m'ont *coûté* (ou *coûtées*) », ainsi qu'après *en* : « J'ai laissé sur l'arbre plus de cerises que je n'en ai *cueilli* (ou *cueillies*). » Mais

(1) Voir, au sujet du dernier décret, N. C., Tolérances grammaticales et orthographiques, le nouvel arrêté, *Nouvelle Revue pédagogique*, n° 9, F. Nathan, 1977. Sur le dernier point, on peut regretter la confusion entre trait d'union de composition nominale et le trait d'union verbal, qu'il nous semble absolument nécessaire de préserver, en tant que porteur d'une information utile.

il ne prend pas à ce sujet la seule décision sage à laquelle il faudra bien arriver : la reprise pure et simple du texte de juillet 1900, dont nous avons parlé plus haut.

L'arrêté précise que les maîtres devront continuer à enseigner cette « règle », quel que soit le jugement qui est porté sur elle (ici même) par ailleurs. En se refusant à admettre qu'en cas d'hésitation de l'usage, les deux façons de parler ou d'écrire seront *toutes deux* admises à égalité, il pérennise « la notion de faute qui existe toujours plus ou moins quand on parle de tolérance » (A. Beslais). Le rapport Beslais (qui a proposé une nouvelle version de l'arrêté et admettait les deux façons d'écrire à égalité) faisait preuve de plus de courage, et, à notre avis, de plus d'efficacité.

Cela dit, on ne peut que saluer ces premières brèches dans l'édifice sélectif dressé depuis cent ans par l'orthographe, comme « un succès modeste des tenants d'une réforme » (Beslais), en souhaitant que les maîtres s'en saisissent enfin, sachent les utiliser pleinement et, qui sait, peut-être aller plus loin.

III. — Les projets récents

— *A. Dauzat.* — En 1939, le directeur du *Français moderne*, malheureusement à la veille de la guerre, lance une nouvelle campagne dans sa revue. C'était, avant 1933, la célèbre *Revue de philologie française* de Léon Clédat, lequel a tant fait pour la réforme et a continué à soutenir celle-ci jusqu'à sa mort en 1931, alors que tout le monde avait tout oublié.

Instruit par son expérience d'historien de la langue et par l'issue décevante de la campagne de 1900, A. Dauzat était devenu prudent. Alors que les projets de Firmin-Didot (1867), de P. Meyer (1903) et de F. Brunot (1905) comprenaient chacun plus de vingt points de modifications, le sien se ramenait à quelques-uns, qui, pensait-il, feraient l'unanimité (1).

1) *Unification à l'intérieur de chaque série ou famille de mots* : les verbes en *-eler, -eter, -oter*, les suffixes *ot, otte (ote)*, les mots en *onner, onnance, onneux*, etc., devraient prendre, selon

(1) Cf. *L'Education nationale*, 9 oct. 1952. Les points 1, 3 et 6 (en partie) ont été repris dans le rapport du 6 déc. 1990.

l'étymologie, la consonne simple. En revanche Dauzat n'hésitait pas à rajouter un *r* à *chariot* ; 2) les sept pluriels en -*oux* et quelques autres *x* muets devraient disparaître ; 3) Dauzat propose *le tréma* sur les groupes *gui, gue* ambigus (*aigüille, argüer*, etc.), ainsi que dans quelques autres cas ; 4) *confidentiel* et mots similaires devraient s'aligner sur *confidence,* comme *circonstanciel* sur *circonstance* ; 5) *dixième et sixième* s'aligneraient sur *dizaine, sizain, onzième* (on écrirait *dis* et *sis*) ; 6) *dompter (domitare), aulne, aulnaie, sceau, poids,* et quelques autres mots perdraient leurs consonnes muettes ; 7) « le trait d'union est la marque des composés et... devrait être maintenu ou rétabli dans tous les composés dont les éléments composants sont perceptibles à tous ».

Avec beaucoup d'habileté, Dauzat s'appuyait sur les concessions que l'Académie elle-même était prête à faire après le rapport Brunot, en 1905 (1). Elle avait accepté, en effet, de renoncer aux septs pluriels en -*oux*, au *t* de *confidentiel,* à l'*x* de *dixième* et *sixième,* etc. (voir plus haut, p. 43). Il lui serait donc difficile de se déjuger. Cependant, et malgré des points qui font effectivement l'unanimité (les verbes en -*eler*, -*eter,* par exemple, que J. Mistler, en janvier 1976, mettait au programme de la 9e édition du *Dictionnaire*), on pourrait reprocher au projet Dauzat non seulement des points discutables (comme l'ajout de l'encombrant trait d'union à tous les composés), mais trop de dispersion (2).

— *Ch. Beaulieux*, à son tour, entre en lice (1952), avec toute l'autorité conférée par cinquante ans de recherches sur l'orthographe. Malheureusement, son projet, bien conçu et étayé, était trop tourné vers

(1) Le rapporteur de l'Académie sur le projet F. Brunot était E. FAGUET, qui était personnellement partisan d'une simplification des consonnes doubles et des lettres grecques (*Simplification simple de l'orthographe*, 1905), ce qui ne l'empêcha pas d'avoir une tout autre attitude à l'Académie. Dauzat se trompe de date en parlant de 1908.
(2) Pour plus de détails sur ce projet et ceux qui suivent, voir N. C., *L'orthographe en débat, o. c.* [Bibl. 17] ; N. C., *Les délires de l'orthographe,* 1989 [Bibl. 16]. Ce dernier ouvrage fournit aussi des éléments sur les projets anciens, du XVIe siècle à nos jours. Après la Libération, la Commission Langevin-Wallon avait mis au point un projet (Pernot-Bruneau, 1948) qui ne fut même pas publié (il est étudié dans *La question de l'orthographe,* de M. COHEN et N. CATACH, CERM, 1965, 2e éd., 1973, ainsi qur les autres textes). LAFFITE-HOUSSAT a également présenté des propositions dans *La réforme de l'orthographe,* Ed. Temps futurs, 1950.

le passé. La haine des praticiens, la vue partiale qu'il adoptait envers l'Académie du XVIIᵉ siècle, lui faisaient prendre l'ancienne langue (le « bel françois ») pour idéal. Or l'ancienne langue, pure mais pauvre, ne peut nous servir de modèle.

— *Le premier projet Beslais* (1952), projet officiel, contrairement aux précédents, échoua avant même d'avoir été publié. Une campagne de presse, alimentée en particulier par E. Faral, qui avait quitté la Commission avec fracas, se gaussa (sans connaître le projet ni d'ailleurs rien à la question) à coup d'énormes calembours : *Un homme de petit pois, Paris la grand vile, les fames retrouveront un home*, etc.

Faguet citait déjà, bel exemple d'ambiguïté, le jardin « où il ni a ni ni ni fleur ». Certains arguments opposés à une réforme *phonétique* (ce que n'était pas le projet Beslais) étaient plus sérieux : « Il est très bon, affirmait E. Henriot, qu'il faille écrire *pois*, *poix*, *poids* et *pouah !* pour distinguer sous une même regrettable sonorité un légume, une matière résineuse, une mesure et une interjection indignée. » Et Burney, qui cite ces exemples (pp. 110-111), ajoute, avec juste raison : « L'on a peine à croire en effet que la réduction de *eau, os, ô, oh, ho !, haut* et *aulx* à *o* constitue une véritable simplification » (1).

— Cette question des homophones (cf. plus haut, pp. 55-57), bien épineuse en vérité, fit hésiter également la *deuxième Commission Beslais* (1960-1965) laquelle ne décida rien à leur sujet. Formée par le ministre Paye, cette Commission siégea cinq ans,

(1) Le premier rapport Beslais se trouve dans *L'Education nationale* (2-10-1952). Beslais a proposé ensuite un plan en cinq points, sur lequel, disait-il, l'unanimité pouvait se faire (*ibid.*, 10-1-1957) : 1) Alignement de mots à double consonne sur les mots de même racine à consonne simple (« ce qui est presque toujours conforme à l'étymologie »). 2) Uniformité des pluriels en *s*. 3) Régularisation de l'accent circonflexe. 4) Verbes en *-eler*, *-eter*. 5) Simplification des règles du pluriel dans les mots composés (d'après le questionnaire de 1953, cf. aussi *Rapport Beslais*, 1965, p. 111). Les trois derniers points ont été repris dans le rapport du 6 déc. 1990, le premier en partie seulement (verbes en-*eler*/-*eter*, dérivés des mots en *an, on*).

essayant de concilier l'*efficacité* (par des réformes suffisamment systématiques), la *modération* (afin de ne pas s'attirer les mêmes foudres que la précédente), *la simplicité* (son but étant essentiellement pédagogique). Nous pensons, encore aujourd'hui, que ces trois critères devraient servir de base à tout projet ultérieur.

S'il est exact que le courant phonétique a toujours existé et existe encore en France, il semble bien qu'en ce qui concerne les projets, les auteurs, instruits par l'expérience, deviennent de plus en plus modérés. Du moins le croient-ils : F. Brunot, dont le projet est le mieux fondé dans ses détails (et qui annonce lui-même, dans son *Rapport*, qu'il aurait voulu aller beaucoup plus loin que les membres de la Commission), ne se rend manifestement pas compte des graves obstacles sociaux et linguistiques qu'il va trouver devant lui. Le littéraire E. Faguet, plus extérieur à la question, voyait ici plus juste et plus loin que le grand linguiste. A. Beslais, tout en partageant la prudence d'A. Dauzat, s'attache à ne pas renoncer à l'essentiel. En accord avec G. Gougenheim, dont les conseils ont été précieux à la Commission (« Réformons périodiquement un ou deux points bien étudiés », disait Gougenheim), il rejette par exemple, comme prématuré, le remplacement de *g* par *j* devant *e*, *i*, *y* dans *génie*, *bouger*, *gymnastique*, etc.

Les points retenus par le projet final sont les suivants :

1) Révision de l'arrêté de 1901, en vue d'une application immédiate (cette révision est faite sous la forme d'une nouvelle rédaction de l'arrêté).
2) Réforme des mots composés (restrictions à l'emploi du trait d'union et normalisation des pluriels).
3) Simplification des lettres grecques (*th*, *rh*, *ch*, *ph*, *y* grec).
4) Remplacement du *x* (muet final) par *s* *(bijous)*.
5) Simplification des consonnes doubles (sauf exceptions).
6) Alignement partiel des adjectifs et noms en *-ent*, *ence* sur ceux en *-ant*, *ance*, et des adverbes en *-emment*, écrits *-ament (prudament)*.
7) Suppression du *e* muet interne avant et après voyelle dans les adverbes et les noms (je **sursoirai*, comme j'*assoirai*).
8) Normalisation de l'accentuation *(évènement)*.
9) Suppression des consonnes muettes internes *(sculteur)*.
10) Cas particuliers *(ognon)*.

Le *Rapport général sur les modalités d'une simplification éventuelle de l'orthographe française*, publié en 1965 (Didier) ne fut jamais discuté. Outre une analyse des points proposés, il présente un historique et une comparaison des réformes, un inventaire des réformes étrangères, un programme de mise en place étalé sur quinze ans, et plusieurs annexes, avec une quinzaine de pages transcrites dans la nouvelle écriture (pp. 87-100) (1).

— *Le projet Thimonnier* (1967). — Alors que les responsables du projet Beslais attendaient encore une réponse de leur ministre, éclata à grand renfort de louanges une nouvelle étonnante : un projet existait, qui avait l'heur de plaire à tout le monde ! R. Thimonnier (R. Th.), dont le rapport n'a jamais été livré au public, a pu en revanche le défendre, à la demande du ministre, devant une Commission du Conseil international de la Langue française. Au bout de trois ans, cette Commission rendit compte de sa mission (J. Hanse, *Pour une rationalisation de l'orthographe*, Bruxelles, 1972). Malgré certaines modifications, l'esprit du projet semblait conservé. La navette recommença du côté de l'Académie (mai 1973).

Selon J. M. Klinkenberg (*FM*, juill. 1971, n° 3, p. 254), sur les 228 mots proposés par R. Th., 10 seulement figurent dans le *Dictionnaire du vocabulaire essentiel* de G. Matoré et 3 seulement dans le *Dictionnaire fondamental* de G. Gougenheim. En fait, ajoute J. M. K. (p. 251), « les critères constitutifs des séries et des constantes [dégagées par R. Th.] sont composites, pour ne pas dire hétéroclites » ; et il condamne, comme

(1) Il est nécessaire, à ce propos, de redresser une erreur qui n'est pas sans conséquence : il a été dit de plusieurs côtés (BURNEY, THIMONNIER, le ministre lui-même, dans *Le Monde de l'éducation* de janv. 1976) que la réforme Beslais devait modifier 8 000 mots, R. Th. parlant même de 9 000. Or, il est dit dans le *Rapport Beslais* lui-même (p. 99) que d'après les sondages réalisés (sur 5 000 mots, pris dans divers textes) la réforme modifierait 6 % des mots, dont 4 % concernant la seule réforme des consonnes doubles. Ramené au *Dictionnaire de l'Académie*, qui semble servir d'étalon à R. Th., nous arrivons non à 8 ou 9 000 (25 %), mais à 2 000 mots environ (sur 35 000).

l'ont fait d'autres linguistes, dont V. G. Gak et P. Ibms (1), le corpus de base discutable choisi par R. Th. (le *Dictionnaire de l'Académie*), le choix arbitraire des points de réforme, bref l'absence de toute méthode scientifique, sans compter les complications ainsi introduites (ajout de lettres doubles ou muettes, comme dans **métempsychose*, **chatiement*, **arraser*, etc.).

Après délibération, l'Académie acceptait en 1976 les points suivants, qui ont été effectivement incorporés, dans une certaine mesure, dans le 1er fascicule de la 9e édition, paru en 1986 (*Monde de l'Éducation*, janv. 1976) : 1) *bonhommie*, *prud'hommie*, avec deux *m* ; *imbécilité*, avec un seul *l* ; *charriot*, avec deux *r* (rapports radicaux-dérivés) ; 2) *cuisseau* éclipsera *cuissot* ; 3) « Nous avons proposé de conjuguer *démanteler*, *harceler*, *ruisseler*... sur le modèle de *peler*, avec un accent grave : je *démantèle* [c'est là d'ores et déjà l'orthographe de l'Académie depuis 1935], je *harcèle*... (2) » ; 4) *crâniologie* d'après *crâne*, *encâblure* d'après *câble* ; 5) *allègrement*, *évènement*, *asséner*, *démiurge* (normalisation des accents aigu et grave) ; 6) le tréma sera mis sur la voyelle « dont il commande la prononciation » ; 7) pour la neuvième édition du *Dictionnaire*, normalisation de certains pluriels des mots étrangers.

En 1987, estimant que ses propositions n'avaient pas été suivies d'effets, et que « l'usage » ne l'avait pas écoutée, l'Académie est revenue sur sa décision, renonçant à appliquer ces modifications dans les fascicules suivants. On en était, apparemment, revenu au point de départ.

— *Les Rectifications de l'orthographe française* (*Journal officiel*, *Documents administratifs*, 6 décembre 1990).

Moins d'une année après ce nouvel échec, le débat sur l'orthographe reprend de plus belle, ce qui prouve qu'il ne s'agit pas là de disputes de cénacles, mais bien d'une exigence profonde de notre société. A la suite de circonstances favorables et divers

---

(1) P. Ibms, Principes d'une réforme de l'orthographe, *FM*, pp. 306-335 ; cf. aussi N. C., La réforme de l'orthographe, quelques observations, *Cahiers pédagogiques*, mars 1970, pp. 74-77.

(2) Cf. I. Aïem, Un problème difficile : les verbes en *-eler*, *-eter*, *LF*, n° 20, 1973. Pour l'Académie, 36 verbes en *-eler* doublent la consonne (contre 13), 34 verbes en *-eter* (contre 6).

mouvements d'opinion (1), le gouvernement crée enfin les organismes nécessaires pour pallier ce qui pouvait passer pour un vide juridique (octobre 1989). Ces organismes forment, en accord avec l'Académie française, les comités nécessaires, et cette fois, par une sorte de miracle, le projet aboutit. Un rapport est établi, adopté par l'Académie à l'unanimité des présents (mai 1990), puis par le Conseil supérieur de la langue française (19 juin 1990). Il est, dans l'ensemble, bien accueilli. Après diverses retouches, il est publié au *Journal officiel* (*Documents administratifs*, 6 déc. 1990).

Le rapport, qui reprend largement les recommandations faites par l'Académie en 1986, se fonde sur cinq points bien connus des réformateurs passés et présents, fixés au départ aux experts : 1) trait d'union ; 2) pluriel des mots composés ; 3) accents et en particulier accent circonflexe ; 4) corrections d'anomalies ; 5) participe passé avec *avoir* (2). Bien entendu, il s'agit de graphies recommandées comme les meilleures, et l'ancienne orthographe, pour ceux qui désirent la conserver, restera licite.

En décembre, malheureusement, une nouvelle et classique campagne de dénigrement se déclenche, dans le but de forcer l'Académie à revenir sur sa décision. Celle-ci, sans céder sur le fond, demande cependant (séance du 17 janv. 1991) qu'il n'y ait pas de circulaire impérative, en particulier pour l'enseignement. Depuis, contrairement à ce que l'on pourrait penser sur la foi des médias, les choses avancent : les dictionnaires (*Larousse* et *Robert* en particulier) enregistrent largement, au rythme de leurs éditions, les nouvelles graphies, souvent à titre de variantes (54 % à ce jour, voir en particulier le

(1) Mouvements venant successivement du Syndicat national des Instituteurs (SNI-PEGC), des linguistes (appel du 7 février 1989), de personnalités politiques, y compris Michel Rocard (revue *Lire*, mars 1989), etc., après une campagne de sensibilisation de l'Association AIROE (v. p. 93).

(2) Le petit nombre de mots touchés dans les textes par ces propositions (1 % des mots environ, dont 58 mots fréquents sur 2 000, 25 radicaux avec accent circonflexe) ne devrait pas laisser croire que ce grand effort a été inutile : la régularisation des grands secteurs des accents (800 mots), des mots composés (plus de 1 000 mots), des pluriel (600 mots, souvent les mêmes), comme de petites séries (consonnes doubles, anomalies), des emprunts, etc., apporte une réelle amélioration à l'ensemble du système.

nouveau *Petit Robert 1993*, avec plus de 1 500 rectifications de ce type). L'Académie a publié en 1992 le premier tome de sa 9ᵉ édition (de A à Enzyme, la suite étant publiée à présent par fascicules), en introduisant, comme elle l'avait annoncé, les nouvelles graphies soit directement (accents aigu et grave), soit en liste séparée, à titre de variantes, qu'elle considère toujours selon sa Préface comme « recommandées ». Rien ne s'oppose plus, par conséquent, à leur application. Parmi les pays francophones, qui dans leur ensemble se sont déclarés favorables à ce changement, la Belgique est celle qui a pris le plus d'initiatives : l'enseignement catholique (le plus étendu) est tenu informé des modifications, plusieurs revues et productions universitaires font de même. En France, l'Association AIROE, sous la direction de N. C. et M. Masson, prend, elle aussi, toute une série d'initiatives pour mieux faire connaître le projet (pétitions, application des nouvelles graphies dans une série de revues, etc.). Car, comme cela s'était passé auparavant pour les arrêtés de tolérance, l'information sur le contenu réel des textes publiés est totalement absente, en particulier auprès des enseignants (1). La bonne préparation du rapport, son extrême modération permettront certainement son adoption progressive dans l'enseignement comme dans l'usage. Un premier pas sera ainsi accompli vers une reprise lente mais nécessaire de l'évolution de notre langue écrite.

IV. — Les positions en présence

L'élévation du niveau de culture générale et surtout de la formation des maîtres fait que des pans entiers de préjugés en matière d'orthographe sont en train de tomber. Cependant, les « pour » et les « contre » continuent à s'opposer. Les résistances au changement proviennent surtout des idées suivantes, transmises depuis toujours :

— *L'immobilisme orthographique :* L'attachement immodéré de certains à leur écriture nationale ne date pas d'aujourd'hui, et a pu être interprété comme une sorte de « chauvinisme ».

— *Beaucoup confondent encore l'orthographe et la langue.* Les arguments *étymologiques* et *historiques* traditionnels ont ce-

(1) Pour plus d'informations, s'adresser à AIROE, 41, cours Marigny, 94300 Vincennes, tél. 49.60.40.10 ; pour la Belgique, Association APARO, Maison de la Francité, Bruxelles ; pour la Suisse, qui prend elle aussi actuellement un certain nombre d'initiatives d'application, groupe Bally, Université de Neuchâtel.

pendant reçu un rude coup par la mise au jour de la tradition de l'orthographe du Moyen Age, de celle de la Renaissance et des classiques, de nos réformes successives fort bien acceptées en France comme à l'étranger (cf. dans le *DHOF*, des mots comme *connaitre*, *abattre*, *abime*, etc.). Mais l'attachement à l'orthographe en tant que *gymnastique intellectuelle*, « profitable » à la volonté de l'enfant, et pour tout dire *remplaçant le latin*, a encore ses adeptes. « La question orthographique, disait Burney, toute secondaire qu'elle semble, présente des aspects philosophiques, politiques et sociaux dont les deux parties en présence ne sont pas toujours bien conscientes : l'Académie française et la bourgeoisie traditionaliste sont opposées dans leur ensemble à la réforme et à l' « orthographe de la cuisinière » (1)...

De même, la crainte d'occulter la lecture de notre *littérature nationale*, l'attachement aux *règles poétiques* de la prosodie et de la métrique, à la *physionomie des mots*, pour tout dire à la tradition, la *domination personnelle* d'un « système » dans lequel il n'est pas aisé de pénétrer, mais qui est, lorsqu'on le possède, riche de sens et d'analogie, l'exagération des services que peuvent rendre les *surdéterminations optiques*, la *méconnaissance ou la sous-estimation des difficultés réelles* que rencontrent la plupart des enfants et des familles en raison du barrage de ce langage secret, continuent à jouer, d'autant plus que les « conservateurs » s'opposaient jusqu'ici en général non pas à des projets modérés et *qu'ils ne connaissent pas*, mais à cette « ortografie lojike », épouvantail qu'on leur présente toujours comme la seule éventualité possible.

Un des arguments les plus récents contre une initiative de changement est d'ordre juridique : qui peut réformer l'orthographe ? A quoi l'écrivain Jean d'Ormesson répondait fièrement en 1989 : « Ce n'est ni le gouvernement, ni les syndicats, ni un comité, ni même l'Académie. C'est le peuple. » Argument bien évidemment de circonstance, dans un pays où le moindre écart d'orthographe « populaire » est durement sanctionné, et où l'Etat, plus que tout autre, a réglé au cours des siècles les problèmes de langue, surtout écrite, de façon strictement centralisée. Inversement, ceux qui veulent changer notre orthographe s'appuient sur les arguments suivants :

— *Le phonétisme :* Les critiques portées aux réformateurs modérés par les « phonétistes » étaient, jusqu'à ces derniers

_____

(1) La première, cependant, semble plus ouverte aujourd'hui aux idées d'évolution, comme le prouvent ses dernières initiatives.

temps, à peine moins virulentes que celles qui leur sont portées par les traditionalistes. De Meigret à A. Martinet, de Brunot à Cl. Blanche-Benveniste ou A. Chervel, le raisonnement est le même, et il est en apparence irréfutable : notre orthographe est viciée *dans ses fondements*, ce sont ces fondements qu'il faudrait changer. Comme les partisans de l'immobilisme, les phonétistes font remarquer que « tout se tient » et que l'on ne peut pas s'arrêter en chemin : comment, par exemple, imaginer une réforme du *s* sans adopter le *z*, qui en est le pendant, ou se fixer comme « intouchable » le domaine de l'orthographe morphologique, alors que c'est là surtout que se situent les difficultés ? Or, c'est précisément cette « réaction en chaîne » du phonétisme qui fait peur. La prise de conscience de ce que l'on appelle aujourd'hui le « système » graphique *(plurisystème)* n'a fait que renforcer ces deux convictions en apparence paradoxales : seule une réforme profonde pourrait apporter à l'orthographe du français les améliorations nécessaires, et une réforme profonde est aujourd'hui impossible (1).

— *Les positions intermédiaires :* Dans la pratique, les positions ne sont en réalité jamais aussi tranchées. Les plus « conservateurs » reconnaissent la nécessité d'effectuer quelques concessions aux plaintes exprimées par l'opinion publique. Les plus exigeants reconnaissent la nécessité de faire quelques concessions à la tradition. Mais autant, en théorie, tout le monde est d'accord pour faire *une* réforme, autant, dans la pratique, les choses ne vont plus : *quelle* réforme faire, et par où commencer ? C'est pour tenter de mieux cerner cette question que s'était tenue, lors d'une *Table ronde CNRS-HESO sur l'orthographe française* (janv. 1973), une discussion entre une quarantaine de spécialistes français et étrangers, discussion suivie de vote (2). Cette réflexion sur les principes, absolument nécessaire, n'a pas manqué d'aider à l'accord quasi général qui s'est manifesté depuis, autour des « cinq points » de 1989-1990.

V. — Quelle réforme ?

« Seules ont réussi, et se sont imposées sans malaise, les réformes à objet limité, qui ne recher-

---

(1) Les « phonétistes », les linguistes et universitaires ont cependant dans l'ensemble soutenu les projets de rectifications récents, comme positifs et ouvrant la voie à une évolution future.
(2) *La structure de l'orthographe française* (ici, *Struct. orth.*) [12].

chaient pas de but supra-orthographique, comme l'unification d'un groupe de parlers, et qui ne tentaient pas de remplacer l'essentiel du code par un système idéal amenant de nombreuses modifications : il semble que plusieurs réformes partielles, séparées entre elles d'une génération à peu près, soient mieux tolérées que les opérations chirurgicales importantes. » Cette remarque d'E. Jung à la table ronde nous semble résumer l'essentiel du débat (p. 110). E. Jung ajoutait : « Toute orthographe phonologique dans son principe doit savoir faire des concessions, parfois très importantes, à une notation appropriée du système morphologique de la langue ; c'est surtout le cas lorsque l'instabilité phonétique multiplie les variantes combinatoires, ou qu'il semble utile de conserver les caractères graphiques de la forme de base pour mieux faire sentir l'unité grammaticale ou lexicologique. »

Réforme *limitée* donc, à base mixte : phono-morpho-sémantique. D'autres propositions, faites par différents linguistes, ont fait également la quasi-unanimité des présents : avec A. Sauvageot, a été retenue la nécessité d'une *étude exhaustive* préalable, de la fixation des formes *qu'il conviendrait de rapprocher de la langue parlée*, et des *normes à donner à la prononciation* ; avec P. Imbs, a été défini le choix d'une réforme *cohérente*, « assez étendue pour supprimer les incohérences »... et « assez *sage* pour ne pas bousculer inutilement les habitudes graphiques ou visuelles de l'adulte instruit »... Les points ayant fait l'objet d'un vote portaient également sur la nécessité d'un projet précédé d'une *étude collective* (avec consultation des usagers), avec l'aide de représentants des pays *francophones*, tenant compte des impératifs pédagogiques et linguistiques du français, tels qu'ils se dégagent des travaux récents, établi par *étapes* sur des points *précis et bien étudiés*, ayant une certaine cohérence les uns par rapport aux autres, etc. (*Actes*, pp. 195-205). Comme le montre le tableau suivant, une nette majorité, allant de 61 à 94 %, s'est dégagée pour une telle orientation, essentiellement réaliste et modérée (avec quelques réserves concernant, par exemple, la nécessité

Numéros des principes	Votes positifs	% (sur 18 votants)
N° 3 (étude préalable)	17 voix	94
N° 7 (pas de signes typographiques nouveaux)	17 —	94
N° 10 (alignement par grandes séries)	17 —	94
N° 4 (étude collective et ouverte aux intéressés)	16 —	90
N° 13 (tolérance seulement pour les zones marginales)	16 —	90
N° 5 (réforme par étapes)	15 —	83
N° 8 (aller toujours dans le sens d'une simplification)	15 —	83
N° 9 (ne pas aller à l'encontre d'une réforme future et prévisible)	15 —	83
N° 6 (accord entre les réformateurs)	14 —	77
N° 2 (réforme restreinte mais profonde)	13 —	72
N° 1 (réforme orthographique limitée)	12 —	66
N° 11 (conservation du nombre de syllabes écrites)	11 —	61
N° 12 (conserver les distinctions d'homonymes dans certains cas précis)	11 —	61

d'une distinction des homophones) (1). Un sondage périodique plus large, mené avec toutes les garanties de la statistique actuelle, dans l'ensemble de la France (et pourquoi pas, même, un référendum...) serait du plus haut intérêt.

Si l'on met à part celui de R. Th., l'ensemble des projets comprenait en priorité (*Rapport Beslais*, 1965, p. 16) : 1) le remplacement de l'*x* muet final par *s (bijous)* ; 2) une réforme partielle ou totale des *consonnes doubles* ; 3) une réforme partielle ou totale

(1) Reprenant une proposition de la Commission Beslais, les participants ont ajouté : « La tâche la plus urgente sera l'établissement collectif d'un *Dictionnaire orthographique* conforme à la nouvelle orthographe, comme cela s'est fait dans les différents pays ayant réalisé une réforme » (point 13). La réflexion de 1973 est poursuivie par N. C. dans *L'orthographe en débat*, chap. VI, pp. 93-102 [Bibl. 17].

des *consonnes parasites internes (sculpteur)* et des anomalies les plus criantes *(oignon)* ; 4) une réforme partielle ou totale de l'orthographe des *mots composés* ; 5) une réforme partielle ou totale de l'*accentuation* (accent aigu et grave, tréma, accent circonflexe) ; 6) une révision et un assouplissement de l' « orthographe de règles » (arrêté de 1901).

Les points 2, 3, 4, 5 et 6, après une longue discussion, avaient été retenus dès 1986 par AIROE, et approuvés par de nombreux enseignants et universitaires, avant de faire l'objet des discussions officielles. En revanche, les propositions pour une réforme plus fondamentale (*s/z, g/j, an/en,* par exemple) soulèvent plus de réticences. Quant à la simplification des *lettres grecques (rh, th, ph, ch, y),* partielle ou totale, amorcée par l'Académie et proposée par la plupart des projets récents (Dauzat, Pernot-Bruneau, Lafitte-Houssat, *La Ligue pour une réforme de l'orthographe,* les deux rapports Beslais de 1952 et 1965), comme par les projets plus anciens (Meyer et Brunot au début du siècle), elle est loin de faire l'unanimité, et n'a pas été retenue comme point de discussion.

VI. — Le critère pédagogique : l'analyse des fautes d'orthographe

Une fois circonscrite une liste des réformes possibles et souhaitables pour notre époque (qu'il ne s'agit d'ailleurs pas d'appliquer toutes en même temps), un dernier élément, non négligeable, doit aider à départager les points de vue et à établir un ordre de priorité : l'analyse, à l'aide des moyens les plus modernes, de « la nature et de la fréquence des fautes » (*Rapport Beslais,* p. 18).

Cette étude avait été largement réalisée à la demande de la deuxième Commission Beslais (voir *Tableau comparatif des fautes relevées aux différents degrés. Certificat d'études, baccalauréat, propédeutique,* p. 123) : 1 000 copies de CEP, 3 000 copies de baccalauréat, 1 500 copies de propédeutique avaient été dépouillées. Dans l'ordre, parmi les points retenus pour les propositions de réforme, le plus gros pourcentage de fautes (et les propositions récentes en ont tenu compte) avait été trouvé dans la catégorie des *accents circonflexes* (25 % environ) ; puis des *consonnes doubles* (de 8 à 17 %) (1), des *consonnes étymologiques* (5 %), du *s* (de 2,5 à 6,4 %) et des *consonnes finales*, des *lettres grecques* (3,2 % en propédeutique), du *e* parasite (2,4 %), avec un très fort pourcentage portant sur les *confusions d'homonymes* (11,6 % au CEP, 4 % en moyenne). Le trait d'union des mots composés et les accents aigus et graves sont le plus souvent négligés ou oubliés, même quand l'accent grave signale une catégorie grammaticale *(où, à, là)* (2).

Telles sont, actuellement, les données du problème. Les dernières *Rectifications de l'orthographe* marquent un réel pas en avant, dont chacun peut se réjouir. L'essentiel, c'est que ces propositions, si modestes soient-elles, passent dans l'usage. En attendant, une tâche primordiale s'impose à nous, l'étude des fondements mêmes de l'orthographe et de son histoire, absolument nécessaire à une clarification aux yeux de l'opinion et de ceux qui ont à prendre des décisions : « En introduisant... dans ce domaine graphique un peu d'esprit scientifique, en hâtant les études de fond... en coordonnant nos efforts pour avancer plus vite... nous tenons le moyen le plus sûr pour aller vers une réforme. Le tout n'est pas une question de croyance, d'opinion, de point de vue, c'est une question de connaissance. Il nous faut dominer le terrain que nous voulons occuper ; même si cela nous semble le chemin le plus long, nous ne pouvons plus y échapper » (N. C., Conclusion du Colloque de 1973, *Struct. orth.*, p. 205).

(1) Le relevé ne tenait pas compte des *redoublements de consonnes simples,* plus importants encore que l'inverse, et qui prouvent à quel point ces lettres sont actuellement *hors système.*
(2) Cf. les travaux portant sur les « usages réels » des Français du groupe dirigé par V. Lucci et A. Millet, à Grenoble (1994), qui confirment dans l'ensemble ces répartitions [Bibl. 30].

CHAPITRE VI

LA PÉDAGOGIE DE L'ORTHOGRAPHE

De l'analyse que nous venons de faire, il apparaît que même des initiatives régulières comme celle qui vient d'avoir lieu ne couvrirait qu'une partie assez faible des difficultés inhérentes à notre système graphique. Reste donc pratiquement entier le problème de sa pédagogie : l'orthographe du français est une orthographe difficile, et elle le restera.

Remarquons cependant qu'une fois éliminée la partie la plus manifestement non fonctionnelle de nos usages graphiques, l'introduction d'une étude raisonnée devient possible, et sans aucun doute par là une nouvelle motivation des maîtres et des élèves : la notion d'arbitraire, qui gêne actuellement l'acquisition des mécanismes, disparaît ou du moins recule. « Il n'est possible de parler de système graphique du français que dans la mesure où l'on peut justifier le choix des graphèmes d'après leur rapport avec l'un ou l'autre des sous-systèmes actuels de la langue » (*Struct. orth.*, p. 97).

I. — Un peu d'histoire

Une écriture comme la nôtre peut être acquise de plusieurs façons, la plupart du temps complémentaires : la mémoire, la répétition (l'« usage ») ; la référence à l'étymologie ou à l'histoire (c'est ce que l'on faisait dans les lycées où l'on étudiait le latin et le grec) ; enfin, et c'est ce que nous préconisons, par référence constante à la langue actuelle (phonologie, mais aussi morphologie, syntaxe, lexique). Nous ne nions pas que les premiers facteurs aient tenu plus ou moins efficacement leur rôle dans le passé, et cela pour deux raisons : pour les plus favorisés (une infime minorité), le latin était tout récemment encore une seconde langue, parfois la première ; pour les autres, lorsqu'ils ont eu accès à l'école, la répétition était d'autant plus efficace que les objectifs d'éducation fixés aux instituteurs de l'enseignement primaire obligatoire étaient strictement limités : apprendre à *lire, écrire, compter* aux enfants du peuple, voilà ce qu'ils étaient chargés de faire depuis les origines.

Durant des siècles, l'enseignement du français s'est fait par et à travers le latin. Les premières grammaires françaises ne sont que des calques des grammaires latines (1). Les étudiants ou clercs, qui, faute de livres, copient les cours des professeurs sous leur dictée, deviennent à leur tour des maîtres d'école ou des maîtres-écrivains : la copie, la calligraphie et l'orthographe sont leur gagne-pain, ils sont « spécialistes » ès écritures. Peu à peu, cette orthographe savante rayonne, s'étend aux classes moyennes, aux femmes ; les manuels se multiplient et, par sa difficulté même, l'orthographe acquiert rapidement une « véritable valeur commerciale » (Burney) : ceux qui la savent gagnent davantage, et l'on paye cher pour l'acquérir (2).

Au début du XVIIIe siècle, les exigences en français et en

_____

(1) De même que le *Dictionaire francoislatin* de 1549 n'était qu'un dictionnaire latin-français retourné, la célèbre grammaire de Lhomond (1780), qui a tant servi sous la Révolution et sous l'Empire, n'était qu'une grammaire latino-française (cf. R. Balibar et D. Laporte, *Le français national*, Hachette, 1974, pp. 143-146). « Il faut, disait le ministre O. Guichard ouvrant les travaux de la Commission Rouchette, inventer quelque chose qui remplace le circuit fermé entre la grammaire française et la grammaire latine. »

(2) Cf. dans *HLF*, le « Cartel de defy par les escoliers des Petites écoles » (IV, 1, p. 131) : « Si quelqu'un a besoin, pour son service, de petits garçons tout faits et bien instruits dans le Christianisme, bons lecteurs, Escrivains, et parfaits Orthographes, Nostre Escole luy en fournira à son choix... »

écriture grandissent. Rollin, le célèbre auteur du *Traité des études* (1726-1728) décide d'écrire son livre en français, « genre d'écrire qui est presque nouveau pour moi », dit-il. Un des exercices les plus utilisés pour apprendre le français à l'époque, chez les Frères de la Doctrine chrétienne, était la traduction de la grammaire en vers latins de Despautère, dont Rollin disait, parlant des élèves : « Tout leur déplaisait dans Despautère..., toutes ses règles leur étaient comme une noire et épineuse forêt où, durant cinq ou six années, ils n'allaient qu'à tâtons, ne sachant quand et où ces routes finiraient, heurtant, se piquant et chopant contre tout ce qu'ils rencontraient, sans espérer de jouir jamais de la lumière du jour. » Aussi les résultats n'étaient-ils pas bien brillants dans la noblesse, comme le montrent les spécimens donnés par F. Brunot (1). Rollin, fortement influencé par Arnauld et les Petites Ecoles de Port-Royal (2), est aux côtés des philosophes pour un enseignement en français : « N'est-il pas évident qu'il faut se servir de ce qu'on sçait pour apprendre ce qu'on ne sçait pas ? », disait déjà Malebranche en 1712. Mais il faut attendre 1762 et la chute des Jésuites pour qu'après bien des déboires les professeurs d'Université soient autorisés en chaire à utiliser le français (1779).

On sait le rôle capital qu'ont joué la Révolution et l'Empire dans la diffusion définitive du français (3). Paradoxalement, ce progrès du français entraîne un renforcement du rôle de barrage social constitué par l'orthographe : « La seule chose qui soit restée debout dans ce siècle de tourmentes, a pu dire Brunot, c'est l'orthographe, universellement reconnue détestable. » L'était-elle vraiment, et était-elle sentie comme telle par les révolutionnaires, sinon par une minorité (Domergue, Daunou, en particulier) ? Il ne le semble pas, tant parce que

(1) *HLF*, IV, 1, pp. 150-167, par ex. Fr. de Vandosme, duc de Beaufort (descendant d'Henri IV, xviie siècle) : « venant daprandre par vn courier que Monsieur de lisieus ades pesche a Madame mamesre les instances que vostre esminance a faites au roy... »
(2) « Port-Royal a pénétré dans l'Université par Rollin », disait Sainte-Beuve. Les Petites Ecoles (jansénistes) avaient les premières instauré au xviie siècle l'enseignement du français, provoquant les foudres des tenants du latin. « Ne donnez pas aux chiens ce qui est saint », disait Ch. Mallet. Cf. aussi l'avocat BELOT (*Apologie de la langue latine*, 1637) qui, entre autres arguments en faveur du latin, soutient comme Mallet qu'il faut tenir les sciences cachées : « La connaissance qu'on en donne aux peuples, dit-il, a eu pour conséquence : en religion, l'hérésie ; en philosophie, la sophistique ; en politique, l'insoumission et la décadence ; en médecine, l'empirisme... »
(3) Cf. à ce sujet R. BALIBAR et D. LAPORTE, o.c.

les réformes selon eux souhaitables avaient été accomplies précédemment que parce que l'enseignement des lycées restait ainsi fermé au peuple.

Le 17 mars 1808, paraît *La* loi, celle qui fonde à la fois notre enseignement moderne et l'Université impériale. Sauf les Frères des Ecoles chrétiennes, les maîtres (rares) de l'enseignement primaire sont rejetés de l'Université. Les lycées enseignent « essentiellement le latin et les mathématiques » (arrêté du 10 déc. 1802). Les ordonnances de 1816, qui restaurent dans ses droits l'Académie française, instituent en même temps pour les maîtres un *brevet de capacité obligatoire*, renforcé en 1819, 1831 et enfin 1833 (loi Guizot, art. 4 et 5). C'est ce brevet à trois niveaux (3e degré, supprimé rapidement comme insuffisant : écriture seulement ; 2e degré : orthographe ; 1er degré : grammaire), texte important, qui semble être à l'origine de l'obligation de plus en plus généralisée de l'orthographe en vue des examens et emplois, telle que nous la comprenons encore aujourd'hui en France (1).

Par la suite, à chaque progrès dans l'extension de l'enseignement correspondra un surcroît de rigidité et d'exigence de la « norme », une nouvelle étape vers « l'institutionnalisation » de l'orthographe française. Elle devient véritablement et pour tous « l'introductrice et comme la patronne de la grammaire élémentaire » (F. Brunot). La mécanisation de son apprentissage, de type « stimulus-réponse », n'a d'égale que sa rupture de plus en plus insupportable avec les acquis scientifiques les plus élémentaires : n'en prenons pour exemple que le *Cours supérieur d'orthographe* de M. et Mme Bled, qui depuis cinquante ans continue à battre tous les records de l'édition française et à constituer la Bible (une Bible plus que contestable) de l'enseignement orthographique, tous degrés confondus. Un sondage réalisé par Christine Picard sur le

---

(1) « C'est dans les Ecoles normales que se prépare l'avenir des écoles primaires », disait Guizot. Au sujet de l'enseignement de l'orthographe, de son rôle spécifique dans les examens et concours au XIXe siècle et du système scolaire, cf. Maurice GONTARD, *L'enseignement primaire en France de la Révolution à la loi Guizot*, Paris, Les Belles-Lettres, 1960 ; G. COGNIOT, *La question scolaire en 1848*, « Hier et aujourd'hui », 1948 ; RULON et FRIOT, *La pédagogie du français chez les Frères de l'Instruction chrétienne de Ploërmel*, Vrin, 1962 ; F. FURET et J. OZOUF, *Lire et écrire, l'alphabétisation du français de Calvin à J. Ferry*, Paris, 1977. Aujourd'hui encore, la plupart des petits emplois publics, et aussi privés, brevets professionnels, CAP (postiers, cantonniers, coiffeurs), etc., sont conditionnés en France par un examen comprenant une dictée (ou une note d'orthographe).

Cour supérieur d'orthographe montre à quel degré les exigences des exercices sont surévaluées et peuvent servir par là d'instrument de sélection : sur 4 689 mots testés, 56,8 % ne sont pas dans l'*Echelle DB*, 85,7 % ne sont pas dans le *Francais fondamental*, 33,7 % ne sont dans aucune liste de fréquence courante (dont des termes non répertoriés comme *amphitryonne, apostème, berber, tinctorial, apanager, apetisser*, etc.). De plus en plus, éclate la contradiction entre une écriture conçue pour des lettrés et des « spécialistes » et les besoins immédiats du plus grand nombre.

II. — Y a-t-il « crise » de l'orthographe ?

C'est cette contradiction, vécue confusément mais cruellement par les maîtres, et aussi par les parents, qui a conduit à la conviction de plus en plus profonde et générale en France d'une « crise de l'orthographe ». « Les enfants ne savent plus l'orthographe, ils ne font plus attention », etc. Il est caractéristique de constater que ce genre de lamentations provient en général de ceux-là même qui connaissent le mieux l'orthographe, y mettant leur point d'honneur.

Cette idée même de « perfection » orthographique (au nom d'une norme qui serait elle-même conçue comme éternelle et immobile) n'est en fait qu'une vue de l'esprit : on peut se demander dans quel manuscrit de quelque époque que ce soit, ou même dans quel imprimé, si soigné soit-il (selon des critères que les imprimeurs ont eux-mêmes fixés pourtant) peut se trouver une telle « perfection ». Il n'est que de voir les résultats « désastreux » (dit-on) des *Championnats d'orthographe* organisés depuis 1985 : sur 37 personnes invitées par un hebdomadaire en 1984, journalistes, comédiens, députés, etc., 11 ont eu zéro sur 20, certaines ont fait 20, 23, 27 fautes, et les ministres n'ont fait guère mieux... Quoi qu'il en soit, le comble est d'exiger une telle *mécanisation* de l'écriture des enfants, exigence scolaire et sociale si disproportionnée (pour une orthographe aussi complexe que la nôtre) qu'elle ne peut être due, disent certains, au hasard...

Il est incontestable que les problèmes existent, et qu'ils sont graves : « Un constat s'impose, disait H. Romian lors du colloque de 1973 sur l'orthographe (et les résultats n'ont guère changé aujourd'hui) : plus de 50 % d'enfants, à l'issue du CM2, présentent des retards plus ou moins importants, en raison de handicaps verbaux liés au milieu socio-économique, socio-culturel auquel ils appartiennent. Il faut bien convenir que l'orthographe joue, dans le système scolaire actuel, un rôle ségrégatif important, incompatible avec une démo-cratisation effective de l'enseignement. Elle pèse très lourd dans les décisions de redoublement comme dans le dossier d'admission en 6e. C'est donc au plan des faits sociologiques que se situent les données premières de la question » (*Struct. orth.*, pp. 120-121) (1). Selon F. Ters, les difficultés sont non seule-ment d'ordre social et économique, mais tiennent aux condi-tions actuelles de l'enseignement : « En ouvrant l'école à toutes les couches sociales, il fallait que tout change. Or, rien n'a changé ! » (*ibid.*, p. 136). Et il ajoute (p. 137) : « Le problème de l'orthographe est fondamentalement faussé par le système de sélection à partir de la dictée. Cette sélection est entièrement faussée par les barèmes de correction. » Mais, affirme à son tour L. Legrand, citant les travaux de Buyse, Dubois, Roller, Ters : « Les enfants de maintenant ne sont pas plus mauvais, statisti-quement parlant, que ceux d'autrefois » (*ibid.*, p. 145) (2). Selon J. M. Klinkenberg, la conception traditionnelle de l'en-seignement tient elle-même à des présupposés plus profonds encore : « La crise de l'orthographe (dont je pense qu'elle est plus dans les consciences que dans les faits orthographiques eux-mêmes) n'est guère qu'une manifestation de la substitution d'un enseignement réaliste à un enseignement formaliste..., l'orthographe est, avec le latin..., un des fleurons traditionnels de cette pédagogie formaliste, pédagogie de la "culture désinté-ressée" visant à l'entraînement des "facultés mentales" par une "gymnastique intellectuelle" choisissant ses objets en dehors des réalités contingentes. » Et il ajoute, ce qui fait réfléchir sur le « refus de l'orthographe » que l'on peut constater chez certains enfants : « La crise orthographique apparaît ainsi

(1) Cf. aussi les chiffres cités par F. T. (*LF*, n° 20, p. 78), à propos d'une enquête effectuée à Vénissieux : 58 % de retards scolaires de 1 à 3 ans et plus en zone industrielle ; 51 % de retards en zone urbaine « normale ». Et nous ne parlons pas ici des problèmes plus graves encore posés par la dyslexie, la dysorthographie, les retards de langage et autres handicaps psychopédagogiques, souvent étroitement liés aux problèmes de l'orthographe.
(2) Cf. à ce sujet D. MANESSE et A. CHERVEL, *La dictée, les Fran-çais et l'orthographe, 1873-1987*, Calmann-Lévy, 1988, qui confirment les affirmations de L. LEGRAND.

comme une contestation implicite, inconsciente peut-être, ou encore le témoignage de mauvaise conscience vis-à-vis de cette pédagogie idéologiquement très marquée... » (*ibid.*, p. 146) (1).

Crise générale de conscience donc, avec « fixation » sur l'orthographe, crise de l'*enseignement* de l'orthographe, ou de l'enseignement tout court, et non de l'orthographe elle-même ? Effectivement, les quelques tests accomplis dans des conditions identiques à différentes époques depuis le début du siècle laissent à penser que nos enfants ne font pas plus de fautes que leurs aînés, au contraire même, pourrait-on dire :

La phrase suivante : « Les jolies petites filles étudient les plantes qu'elles ont ramassées hier » (phrase difficile pour des enfants de 8 à 12 ans) a été dictée en 1904, 1921, 1948 et 1965 : les meilleurs résultats ont été ceux de 1948, à Genève, où « un programme rationnel psychopédagogiquement construit » (F. T., *Struct. orth.*, p. 137-144) avait été poursuivi de 1921 à 1948 sous la direction de R. Dottrens (2).

Ce qui est vrai cependant, c'est que notre société n'est plus la même, dans ses fondements économiques et sociaux tout autant que dans son système

(1) J. M. KLINKENBERG, parlant de la lutte longue et difficile pour un enseignement « réaliste » et moderne, pense sans doute aux *Plans* plus ou moins officiels qui se sont succédé sans succès depuis la Libération : Plan Langevin-Wallon (1948), Plan Rouchette (1970), Commission P. Emmanuel (Bibl. [26], rapport qui contient, pp. 226-256, une importante annexe sur l'orthographe) ; voir aussi Manifeste de Charbonnières, AFEF, *Le français aujourd'hui*, févr. 1970 et sept. 1977. Les dernières *Instructions* (1972 et 1985) ont été accompagnées de textes (*Enseignement de l'orthographe dans les écoles et les collèges*, CNDP, 1977, 49 p.), insistant sur la « valorisation primordiale d'une communication orale permanente » (F. T.). Elles répondaient en partie, comme le dit J. GUION (*Inst. orth.*, p. 47) « à la question pourtant bien naturelle : qu'est-ce que savoir l'orthographe pour un enfant de CE1 ? pour un enfant de CE2 ? pour un enfant de CM1 ? ».
(2) Cf. F. T. [29], J. GUION [18], M. CHAUMONT [24], CIEP [25], etc. Pour la rééducation des dyslexiques, voir en particulier les travaux de Mme BOREL-MAISONNY, *Langage oral, langage écrit*, Genève, Paris, I, 1962 ; II, 1963 ; la revue *Rééducation orthophonique* ; A. GIROLAMI-BOULINIER, *L'apprentissage de l'oral et de l'écrit*, PUF, « Que sais-je ? », 1993, etc.

de valeurs. Non seulement la communication culturelle s'est profondément transformée (télévision, techniques d'écriture, place amoindrie des études « humanistes » et de la littérature, introduction généralisée de l'informatique, etc.), mais le poids des contraintes orthographiques pèse aujourd'hui non sur une minorité, mais sur l'ensemble de la nation. Ce poids est trop lourd, nous dirons même qu'il est trop *cher* :

« Le coût de l'information orthographique, démesurément redondante... apparaît exagéré, surtout si l'on y ajoute le coût de l'apprentissage donnant accès à cette information : ... neuf ans d'études, sans que pour cela les résultats apparaissent tellement probants » (N. C., *Rech.*, p. 951).

III. — Une rénovation de l'enseignement de l'orthographe est-elle possible ?

1. **La pratique de la langue.** — Tel Atlas retouchant la Terre, cet enseignement, s'il veut se renouveler, doit d'abord retrouver ses sources. Il est stupéfiant qu'on ait pu durant si longtemps le situer *en dehors* de sa place naturelle, l'enseignement de la langue maternelle, dont il n'est qu'un complément. Beaucoup se demandent aujourd'hui si l'on n'obtiendrait pas les mêmes résultats, et peut-être meilleurs, en substituant aux heures précieuses passées (certains disent : perdues) en dictées et en exercices, la réflexion, la poésie, la création personnelle et surtout la pratique constante de la lecture et de l'écriture personnelles, toutes activités langagières si enrichissantes et cent fois plus utiles à tous égards, y compris pour la fixation progressive des mécanismes de l'écrit.

« On peut, disait H. Romian au Colloque sur l'orthographe, envisager cinq solutions — au moins — au problème : changer l'orthographe, et il faudrait alors que l'apprentissage en soit grandement facilité, tout en permettant au maître de faire apparaître les fonctions, les caractères spécifiques de la langue écrite ; changer la pédagogie de l'orthographe ; changer la pédagogie du français, y compris de l'orthographe ; changer l'école ; changer la société. Le travail des équipes (1) se situe au troisième niveau, car pour elles, le problème de la pédagogie de l'orthographe se trouve inscrit dans un « système » pédagogique dont on ne saurait l'isoler » (*Struct. orth.*, p. 121).

Concernant la pédagogie du français, H. Romian s'appuyait déjà sur « les données actuelles de la linguistique et de la psychologie ». Reconnaissant à la dictée le seul rôle « d'instrument de vérification parmi beaucoup d'autres », elle reprenait les étapes fixées par le *Plan de rénovation*, fondées en particulier sur les travaux de Piaget concernant le développement génétique et psychologique de l'enfant (2) : apprentissage « global implicite » d'abord ; puis « systématique implicite », puis enfin « systématique explicite ». Au sujet de la lecture/écriture au cours préparatoire, étape décisive entre toutes, le *Plan* précise que le maître doit enraciner l'apprentissage de l'écrit « dans la pratique de la langue orale, l'observation de la langue écrite...,

---

(1) H. Romain parle des 90 équipes pilotes, coordonnées sous sa direction par le Service de la Recherche pédagogique de l'INRP. Cf. *La réforme de l'enseignement du français vue par ceux qui l'enseignent* (SEVPEN, 1971). Voir aussi plus loin (p. 115) la belle coll. « Rapports de recherche », en particulier le n° 2 (1989).
(2) Un excellent résumé de ces travaux est à trouver dans l'ouvrage de L. LEGRAND, *L'enseignement du français à l'école élémentaire*, Delachaux & Niestlé, 1966. On y trouvera une analyse des traumatismes psychiques créés par la hantise de la faute, des troubles du langage et de l'écriture, des travaux de WITTWER sur *Les fonctions grammaticales chez l'enfant*, des « méthodes naturelles » de Freinet, de l'apport de Decroly et autres recherches d'avant-garde, etc. Cf. aussi les travaux prometteurs de la psycholinguistique, en particulier ceux d'Emilia FERREIRO, *Lire-écrire à l'école, comment s'y apprennent-ils*, CRDP, Lyon, 1988 ; J.-P. JAFFRÉ, Lecture et production graphique chez les jeunes enfants : l'exemple du domaine extralphabétique, *Langue française*, n° 80, « La lecture et son apprentissage », déc. 1988, et JAFFRÉ, 1992 [29], etc.

aider l'enfant sans rien lui imposer, à partir de ses propres découvertes, à établir des rapprochements, des tris et des classements, et enfin... vérifier l'acquis ». Le *Plan* considère que l'orthographe est à ce stade inséparable d'une situation de *pratique réelle* de la langue, parlée et écrite : pourquoi écrit-on ? *pour quoi faire ?* « Ce qui est premier, c'est non pas l'orthographe en elle-même et pour elle-même, mais sa valeur fonctionnelle » (H. Romian).

Hélène Huot, de son côté, insiste à la fois sur la mise souhaitable de l'enfant en *situation de communication* réelle, avec dictionnaire et grammaire à sa disposition, découverte constante et contrastée du fonctionnement de l'oral et de l'écrit grâce à l'API, renouvellement des études grammaticales, prise en compte de la fréquence, etc. : « Les enseignants sont actuellement fort peu initiés aux problèmes linguistiques de l'orthographe du français. Tant qu'ils ne seront pas sérieusement formés, tant qu'on ne leur aura pas donné les moyens d'être critiques vis-à-vis du système graphique et des manuels en usage, il ne faut pas se faire d'illusion : l'enseignement de l'orthographe continuera d'être une sorte de bricolage pédagogique sans grande efficacité » (*Monde Ed.*, janv. 1976). Bien des années après, rien de tout cela n'a vieilli, mais les problèmes restent les mêmes.

2. Recherches de fréquence et programmation de l'enseignement de l'orthographe d'usage. — Parviendrait-on cependant, par la seule pratique quotidienne, même accompagnée des remarques nécessaires, à rendre l'enfant capable de dominer les diverses situations qu'il aura à affronter plus tard, en utilisant l'écrit ? Changer l'école n'est pas changer la société. Longtemps encore, une pédagogie spécifique de l'orthographe sera nécessaire, mais elle peut, elle aussi, se renouveler.

On connaît bien aujourd'hui les travaux belges, américains, suisses, canadiens et français qui ont abouti à l'élaboration de l'*Echelle DB* et au *VOB* [Bibl. 30].

Le principe de ce type de travaux, poursuivis à Genève depuis les années 20, à Louvain en Belgique, au Canada, en Suisse et en France (à l'INRP par F. Ters), est que toute pédagogie constitue à la fois un raccourci et un choix. On ne peut pas tout apprendre, et « qui dit vocabulaire de base dit également orthographe de base » (Burney). On trouvera une remarquable synthèse dans l'article de F. Ters de *Langue française* (n° 20) :

— *Importance primordiale de la lecture tout au long de la scolarité :* « Il se trouve que beaucoup d'enfants n'apprennent effectivement pas à lire, même oralement, au cours des trois premières années de scolarité » (p. 78).

— *La dictée traditionnelle n'est pas un exercice d'apprentissage, mais de vérification de l'orthographe :* « Jusqu'à l'âge de 16 ans, l'orthographe s'acquiert par une pratique constante, programmée, contrôlée, avec apprentissage de la consultation des dictionnaires » (p. 82). Cette pratique devrait, selon H. Romian, toujours être « motivée » fonctionnellement (lettre, article de journal scolaire, résumé d'observation, etc.).

— *Critères et barèmes sont à revoir, au niveau du BEPC en particulier :* Les « fautes » en sont sanctionnées (de façon négative) « selon un barème... sans aucun fondement scientifique... destiné à donner satisfaction aux impératifs administratifs de la sélection : 67 % d'élimination, 33 % d'admissibles » (l'élève devrait être jugé *positivement* sur l'*ensemble des épreuves écrites*, par l'*ensemble* des professeurs concernés).

— *Absence d'une littérature enfantine adéquate :* « Quelques collections à vocabulaire réduit, à syntaxe simplifiée ont vu le jour, mais on n'y peut guère admirer des compétences pédagogiques réelles » (p. 81).

— *Absence de formation des maîtres :* Les instituteurs [et, ajouterai-je, les professeurs], qui ont à présent la tâche de former *tous* les enfants de la nation à poursuivre des études longues et difficiles, sont insuffisamment préparés à cette lourde responsabilité. Là est la clé du problème, avec les connaissances complètes et de haut niveau que cela implique, en particulier en psychopédagogie et en linguistique, où l'orthographe trouve sa place.

Après cette dure critique de la situation actuelle, F. T. en vient aux propositions constructives, fondées essentiellement sur une *adaptation programmée de l'enseignement de l'orthographe aux possibilités réelles de l'enfant* :

— *Le vocabulaire essentiel est stable :* « Il se trouve que nos 8 000 mots [du *VOB*], répartis en centres d'étude, couvrent tous les aspects paidologiques de l'existence, eux-mêmes stratifiés scolairement dans l'ordre de l'acquisition pratique, à la fois pour la compréhension et pour l'acquisition orthographique » (p. 84). On sait aujourd'hui, par exemple, que 69 mots (pour la plupart des mots-outils) *suffisent pratiquement à couvrir un mot sur deux de n'importe quel texte* (en fréquence cumulée) (1). Parmi ces mots essentiels, 10 à 12 verbes, plus *avoir* et *être* (en ordre de fréquence décroissante, *faire, pouvoir, dire, aller, voir, savoir, vouloir, venir, devoir, donner, falloir, prendre*). Tous, sauf une exception, sont des verbes (plus ou moins irréguliers) du 3e groupe. Ce qui ne veut pas dire qu'ils doivent seuls être enseignés (le 1er groupe couvrant la majorité des verbes vivants, mais étant de loin le plus difficile à l'écrit).

— *Il s'agit d'un outil de référence indispensable aux maîtres :* Les défenseurs des listes de fréquence (comme l'*Echelle DB*, 3 724 mots, triés par ordre de difficulté croissante en 43 échelons) n'ont jamais soutenu qu'il y avait là la *somme* d'un enseignement général du vocabulaire. Il s'agit d'un *garde-fou* pour les maîtres, permettant à tous, de façon plus équitable et plus objective, d'évaluer l'étalonnage des exercices et dictées, de tester régulièrement les progrès de leurs élèves en orthographe : en bref, les listes de fréquence fournissent pour la première fois un *instrument de mesure*, perfectible certes, mais suffisamment au point et de haute utilité, correspondant à « l'état moyen des connaissances en vocabulaire écrit » des enfants à chaque niveau d'âge. Bien entendu, rien n'empêche chaque enseignant d'intégrer et d'adapter ensuite aux besoins de ses élèves des mots de tous les jours, nécessités par l'opportunité : vocabulaire de l'audio-visuel, du football, etc. Ce qui ne doit pas faire oublier la progression fondée sur le noyau stable de la langue générale. On ne saurait par conséquent trop souhaiter que les maîtres s'en saisissent, apprennent au plus vite à les utiliser efficacement, et que les *Instructions officielles* les recommandent avec plus de vigueur (2).

_____

(1) En réalité, les *formes* fléchies, en particulier pour les verbes, sont plus nombreuses : or, ce sont elles, et non seulement les infinitifs, qu'il faudrait connaître. Les formes des verbes du 1er groupe sont particulièrement ambiguës (58 % de graphies différentes pour le [E] final). Notre équipe a mis au point *Les Listes orthographiques de base* (Nathan, 1984), issues de la confrontation des principales listes actuelles, et comprenant les formes fléchies les plus fréquentes : ainsi, pour *être, est, était, sont* ; pour *avoir, a ai, avait, ont*, etc. (voir annexe II).

(2) Pour plus de détails sur leurs principse et leur application, cf. F. T., [30] ; J. GUION, [19], Annexe, pp. 181-186. Le premier Plan Rouchette (1969) spécifiait déjà : « Les échelles existent, elles

3. L'utilisation d'un alphabet phonétique. — Une

autre idée, dont la force grandit, s'est fait jour
ces dernières années : ce que l'enfant connaît à son
arrivée à l'école, c'est l'*oral*, dont il faut lui rendre
plus clairs les éléments constitutifs, les *phonèmes*.
Non pas en les faisant pratiquer à l'écrit, mais
en affichant dans la classe, à titre de référence, les
tableaux des signes phonétiques du français et de
leurs principaux correspondants écrits.

Citons d'abord les techniques du *Sablier*, au Canada, où,
R. et G. Préfontaine ont mis au point toute une série d'outils (1). Une autre recherche est tentée depuis plusieurs années
en France par M. et Mme Martinet : il s'agit de l'*Alfonic*, alphabet « sous-phonologique » notant seulement les « archiphonèmes »
des voyelles à double timbre avec possibilité pour l'enfant de
noter certaines nuances s'il le désire (2). Armé d'un outil à sa
portée, l'enfant prend ainsi rapidement confiance en lui-même,
il *sait* écrire et il écrit. Le véritable problème est pour l'Alfonic
(comme pour l'Alphabet Pitman ou ITA utilisé en Angleterre) (3)
le passage à l'orthographe traditionnelle. Cette expérience,
pour l'Angleterre, semble être aujourd'hui abandonnée, les
résultats étant loin d'être probants.

En fait, on peut se demander s'il est bien nécessaire, pour le
français, de faire un tel détour. L'API est absolument indispensable aujourd'hui, ne serait-ce que pour l'apprentissage des
langues étrangères. Il est également indispensable de connaître
l'alphabet traditionnel, tout aussi international. Enfin l'orthographe du français est encore, et sans doute pour longtemps, le
seul outil social reconnu ; faut-il y ajouter encore d'autres
signes, surtout provisoires ? On peut se le demander, surtout quand on sait, comme nous l'avons dit, que les « phonogrammes » du français couvrent 80 à 85 % des graphèmes,
et que parmi eux 33 signes fondamentaux constituent à leur

ont été établies sur des données statistiques solides ; le maître aura
intérêt à les consulter. » Les I.O. de 1977 reprennent ces recommandations.

(1) *Je doute, je cherche, je trouve*, Beauchemin, 1968, repris et
adapté par F. T., Hatier, 1974 ; *Vocabulaire oral des enfants de 5 à
8 ans*, 1968, etc., *ibid.*
(2) Sur le Sablier, cf. en particulier *Struct. orth.*, interventions des
PRÉFONTAINE, pp. 147-149 ; sur l'*Alfonic*, cf. *ELA*, 1972, n° 8,
A. MARTINET, Une graphie phonologique à l'école, pp. 27-36.
(3) Sur l'expérience de l'ITA (Initial Teaching Alphabet), cf. *ELA*,
n° 8. L'orthographe de l'anglais et l'expérience de l'ITA, pp. 110-117.

tour 85 % de ces « phonogrammes » (1). Ce sont ces signes qui doivent servir de bases au passage à l'écrit, et c'est ce que voulait exprimer P. Imbs lorsqu'il soutenait que notre orthographe est « encore dans une très large mesure phonétique » (*FM*, XXXIX, 1971, p. 332). Il s'agit à présent de tirer toutes les conséquences d'une telle découverte, et c'est avant tout aux pédagogues eux-mêmes à le faire.

4. **La notion de système.** — Autant un enseignement prématuré de la grammaire lasse et rebute l'enfant, autant il serait à notre avis dramatique de ramener à la seule orthographe d'usage, et pire encore à une simple liste de mots, étiquetée par trimestre ou par mois, son initiation à l'écrit. Mais comment, à quel rythme, suivant quelles procédures, procéder à cette initiation au système grammatical et sémantique du français ? Des recherches linguistiques, psychologiques et pédagogiques sont plus que jamais nécessaires en ce domaine. L'essentiel me semble être la formation linguistique du maître lui-même, d'où s'ensuit naturellement une présentation ordonnée des faits. Le vocabulaire lui-même est structuré. Un mot n'est jamais isolé par rapport à ses dérivés ou ses composés. Il en est de même pour les phonèmes, pour les morphèmes, pour toutes les unités de la langue. Ce qu'il faut, ici comme ailleurs, c'est, comme on dit, « apprendre à apprendre », c'est aussi apprendre à l'enfant à utiliser et à créer, par transfert et généralisation, d'autres unités ayant avec les premières des rapports étroits et constants. Comme le disait très justement E. Genouvrier, il s'agit non pas de répondre à la question : « Comment ça s'appelle ? » ou « Qu'est-ce qu'il faut écrire ? », mais à celle-ci : « Comment ça marche ? »

(1) Cf. plus haut, pp. 62-65, et *Traité*, [Bibl. 13], pp. 9-15, *Phonogrammes*, niveaux 1, 2 et 3.

Quels sont, pour ne prendre qu'un exemple, sur une centaine existants, nos préfixes et nos suffixes les plus productifs, et qui posent des problèmes à l'écrit ? Si l'on compare, par exemple, les différentes entrées du *Petit Larousse*, on constate les rapports suivants en ce qui concerne les préfixes :

— le plus productif serait *re- (ré-, res-)*, avec près de 1 500 entrées ;
— puis *de- (des-)*, avec 1 425 entrées ;
— *a- (ac-, af-,* etc.*)*, avec 1 050 entrées, dont 43 seulement avec *ad-* ;
— *in- (il-, im-, ir-,* etc.*)*, avec 980 entrées ;
— *co- (col-, com-,* etc.*)*, avec 854 entrées ;
— *en- (em-)*, avec 675 entrées.

Puis, loin derrière, *sur* (156), *sous* (126), *contre* (120), etc. Ces préfixes posent des problèmes spécifiques d'écriture, que la prise de conscience du mécanisme de la composition rendra certainement plus aisés à dominer.

Pour les suffixes, une étude faite par H. Séguin et portant sur « Le genre des adjectifs en français » (*LF*, n° 20) faisait apparaître des informations de tout premier ordre concernant l'opposition oral/écrit (enquête ayant pour base tous les adjectifs du *Petit Robert*) :

— *A l'oral :* 67 % des adjectifs français sont invariables en genre oral (type *magnifique*, 1 628 unités, *aimable*, 1 097, *acariâtre*, 920, etc.), « ce qui, ajoute Séguin, surprend assez par rapport à la définition habituelle de l'adjectif ».

— *A l'écrit :* 42 % des adjectifs sont invariables (en général ceux qui se terminent par un *e*), 58 % varient en genre (soit à l'oral *et* à l'écrit, type *petit, petite*, 1 276 adjectifs, soit seulement à l'écrit, type *continuel, continuelle*, etc.). Ce sont des travaux de ce genre, menés dans les secteurs clés de notre système grammatical, sur le verbe en particulier (1), qui pourront le mieux aider les maîtres à pratiquer un enseignement réellement contrastif entre l'oral et l'écrit, avec une connaissance exacte de leurs ressemblances et de leurs différences.

---

(1) Pour le verbe, voir l'excellent petit livre de Mad. CSECSY, *De la linguistique à la pédagogie (verbe français)*, Hachette, Larousse, BELC, 1968 ; cf. aussi H. SÉGUIN, *Tous les verbes conjugués*, Montréal, Ed. CEC, 1986, etc. Pour l'ensemble des problèmes de la grammaire « orale », voir A. RIGAULT, *La grammaire du français parlé*, Paris, Hachette, 1971. Pour la grammaire écrite, voir N. C., *Traité*, 2e éd., pp. 209-256, et, pour les préfixes et suffixes, 256-261.

5. Les fonctions linguistiques de l'orthographe. —
Résumons-nous : on peut enseigner l'orthographe
pour savoir lire et écrire le français. C'est une fonction d'utilité immédiate, pour laquelle des moyens
immédiats peuvent être mis en action. C'était la
conception de l'école primaire d'antan. On peut
aussi l'enseigner pour autre chose qu'elle-même, en
tant qu'accès aux langues anciennes ou à la littérature. C'était l'ancienne conception des lycées. On
peut enfin tenter de lui rendre sa juste place, qui
n'est pas petite, ni non plus démesurée, en tant que
forme nationale d'écriture d'une langue, comparable
en importance (et en complexité) à la prononciation
pour l'oralité.

Là se situe, à notre avis, l'essentiel des progrès à
accomplir : si, comme nous pensons l'avoir prouvé, le
parallélisme entre l'écrit et l'oral n'est pas profondément atteint en français (à condition d'en faire
une analyse correcte, à *plusieurs niveaux*) alors la
théorie (particulièrement dangereuse en pédagogie)
de l'« autonomie » de l'écrit n'a plus de raison d'être.
Etudier l'orthographe « en soi », de façon mécanique,
ou, pire encore, en torturant la langue pour la faire
entrer dans des cadres préétablis et d'ailleurs entièrement artificiels, ne pouvait se comprendre que
dans le contexte hâtif d'un « enseignement au
rabais », comme il était conçu du temps de J. Ferry.
Cet état de choses forme un tout aujourd'hui étran-
gement dépassé, comme un monde renversé : prédominance des cadres latins sur ceux du français,
de la règle sur l'exemple, de la grammaire sur la
langue, de la logique sur la « pratique » ; confusion
constante entre la lettre et le son ; ignorance des
fonctions essentielles de l'oral comme de l'écrit ;
accumulation autour de l'orthographe de toutes
sortes de valeurs morales ou métaphysiques, etc. Il

faut dépassionner le débat, dissocier posément les deux codes, pour les comparer ensuite terme à terme, dans leurs rouages les plus essentiels et les plus utiles. Rendre à la langue, à l'ensemble des activités du français, à la lecture motivée en premier lieu, à la communication, leur place pleine et entière, faire le « détour » par l'oral, enraciner les habitudes de l'écrit dans les habitudes de parole, ce n'est pas perdre son temps : c'est motiver l'enfant, faire appel à ce qui le concerne le plus, à ce qu'il connaît le mieux.

Inversement, il faut renoncer aux jugements de valeur à l'emporte-pièce, sur la « perfection » ou l' « aberration » de l'orthographe. Débarrassons-la de ses oripeaux ; tant bien que mal (et ce n'est pas à nous de cacher ses défauts), elle fonctionne, et le rôle de la pédagogie est avant tout de la transmettre dans ses fonctions essentielles qui sont linguistiques, le plus honnêtement, le plus intelligemment possible, de la façon la plus efficace possible. Ce qui n'est pas si difficile, à condition d'y mettre le prix. Plus que toute autre discipline, celle-ci a besoin d'efforts publics et privés : recherches théoriques et pratiques, expérimentation scrupuleuse, meilleures conditions de travail et d'études, etc. Le temps passé à étudier (et au besoin à juger) n'est pas perdu en ce domaine.

6. **Perspectives.** — Parmi les outils, et ils sont nombreux, dont le maître a le plus grand besoin, sur le plan théorique comme sur le plan pratique et expérimental, trois me semblent particulièrement importants : une *typologie des fautes*, une *typologie des exercices*, et enfin une *évaluation* précise, mise à l'épreuve des faits, niveau par niveau, d'*une progression par objectifs*.

En ce qui concerne la nécessité d'un classement général et cohérent des « écarts » (plutôt que fautes), somme toute naturels, que l'enfant est appelé à commettre, nous dirons qu'un tel classement n'implique, bien entendu, nul jugement de valeur, mais tend seulement à un relevé plus rationnel, à une meilleure connaissance de ces écarts, en vue d'un enseignement plus spécifique et d'une meilleure docimologie.

Que doit être une telle typologie ? Elle ne doit pas, comme c'est trop souvent le cas encore aujourd'hui, peser les fautes arbitrairement, au trébuchet de l'adulte (fautes « graves » ou « peu graves », fautes « d'inattention » ou « d'incompréhension », fautes de « sens », etc.), mais répondre aux seuls critères objectifs décelables en une telle matière : l'âge et les possibilités de l'enfant, et, compte tenu de ses possibilités, *un classement linguistique conforme aux lignes générales du système.*

Ce classement semble aller de soi : 1) S'assurer, avant toutes choses, qu'il s'agit bien d'un écart d'*orthographe,* que l'enfant connaît et a bien compris le mot, qu'il sait bien le prononcer (écarts à dominante phonétique, reconnaissance du mot). 2) Une fois assurés ces arrières, on en arrive au domaine orthographique proprement dit (séparation nécessaire des deux domaines). Il peut s'agir d'une erreur que nous appellerons *phonogrammique* : mauvaise connaissance des graphèmes de base et des lois simples qui les régissent (ce qui relève du niveau lecture-écriture, le plus important au départ). Ces écarts peuvent entraîner une modification phonique (ils sont plus aisés à redresser) ou constituer de simples variantes graphiques (ils relèvent alors en général d'une manipulation en contexte, par le jeu des alternances, le rapprochement avec les dérivés, etc.). 3) Il peut s'agir, ce qui requiert déjà un niveau plus avancé, d'un écart *morphogrammique* : accords *grammaticaux* (qui relèvent non pas d'erreurs de « logique » ou d' « attention », mais d'une « immaturité syntaxique » bien naturelle, parce qu'on a demandé à l'enfant d'établir des rapports visuels qui requièrent une connaissance quasi complète du système, d'un *certain* système : analyse des fonctions, des groupes de mots, ce qui met des années à se fixer) ; liens *lexicaux* (entre simples et composés, radicaux et dérivés, etc.). 4) Il peut s'agir d'un écart *logogrammique* : distinction de « sens » comme on dit, entre deux homophones, alors qu'en réalité le sens est bien compris, sans qu'apparaisse évidente la nécessité de les distinguer par la forme graphique, ce qu'on ne fait pas en général. Signalons à ce propos que si les mots pleins, à graphie caractéristique, sont en petit nombre et relativement aisés à retenir, en raison de leur fréquence, il n'en est pas de

111

même des mots grammaticaux : comme les accords, les distinctions entre *se* et *ce*, *a* et *à*, requièrent une connaissance déjà avancée du système global et une capacité d'analyse catégorielle qu'il est illusoire de réclamer d'un enfant avant un certain âge. Si l'on n'exigeait pas de façon si impérative ces distinctions trop tôt, peut-être seraient-elles mieux fixées par la suite, lorsque leurs fonctions seraient devenues explicites (1). 5) Il peut s'agir enfin de lettres *hors système*, d'ailleurs souvent utilisées par ailleurs pour raisons analogiques ou distinctives. Ici, l'attitude du maître devrait être plus relativiste, plus nuancée. On ne peut pas *exiger* d'un enfant très jeune de telles surcharges ou de telles anomalies. On peut simplement les lui faire *admettre*, en attendant qu'il ait l'âge de les comprendre, et pour un temps les signaler, les « donner » à l'enfant à l'avance. 6) Restent les *idéogrammes* proprement dits, apostrophe, trait d'union, majuscules, signes de ponctuation, etc., dont beaucoup ont leur importance.

D'une telle typologie, que l'on pourrait affiner, améliorer suivant les besoins et les résultats obtenus, devrait naître l'exigence d'une *typologie d'exercices* spécifiques, appropriés aux lacunes, aux populations scolaires concernées, aux individus (2).

(1) Cf. L. MASSARENTI, *Psychopédagogie des moins doués*, Labor-Nathan, 1971, pp. 63-64 : Pourcentage des fautes relevées sur l'orthographe de certains mots grammaticaux fréquents :

Les homonymes grammaticaux	Fréquences cumulées	Fautes	%
1. A-à	27 325	15 841	58
2. Ce-se	10 706	7 601	71
3. Ces-ses	10 875	6 851	63
4. C'est-s'est	7 810	6 560	84
5. Et-est	14 501	7 396	51
6. Leur-leurs	4 685	3 139	67
7. Notre-le nôtre	967	396	41
8. On-on n'	1 624	1 478	91
9. On-ont	15 825	6 963	44
10. Ou-où	3 988	2 154	54
11. Quand-quant	992	407	41
12. Son-sont	16 687	7 509	45

(2) Pour une présentation typologique des erreurs, des exercices et de l'usage de l'API, voir N. C., D. DUPREZ, M. LEGRIS, *L'enseignement de l'orthographe*, Nathan, 1980, et *Pratiques*, 25, 1979, pp. 43-52.

Les exercices à dominante orale, avec leur complément phonogrammique, primordiaux à tout âge, sont particulièrement profitables à ceux qui ne possèdent pas (ou mal) la langue nationale, immigrés ou enfants d'immigrés par exemple. Pour le reste, on a souvent constaté que les enfants reviennent toujours au même type d'écarts. Plutôt que de recommencer éternellement, de classe en classe, à prodiguer à la cantonnade les mêmes « règles » dépersonnalisées (il est vrai qu'il est bien souvent difficile de faire autrement dans des classes surchargées et dans de mauvaises conditions de travail), ce qui finit par décourager et lasser les enfants les plus zélés, une prise de conscience plus personnelle, par l'enfant lui-même, de ce qui lui manque, la recherche active de fiches situées au milieu de la classe ou de la batterie d'exercices susceptibles de lui apporter de l'aide, donneraient, me semble-t-il, de meilleurs résultats. L'ordinateur, s'il est bien utilisé, rend aujourd'hui possible l'autocorrection, la vérification aisée et continue des tests, la mesure positive des progrès, une activité de recherche plus personnalisée et plus agréable pour les enfants (cf. la méthode orthographique d'*Orthobase 6 000*, logiciel de base de données et de recherches orthographiques, CEDIC-Nathan, 1986).

Reste enfin le non moins immense terrain de l'étude précise des stratégies enfantines et de la *progression orthographique nécessaire.* De nombreuses recherches sont faites actuellement en ce sens, et il est certain qu'une telle progression, si elle était mise au point, permettrait à tous de voir plus clair dans l'acquis que possède l'enfant à l'arrivée dans la classe (acquis qu'il est nécessaire de tester régulièrement) et celui qu'il devrait plus ou moins avoir dominé lors du passage dans la classe ou dans le cycle suivants.

— *Au niveau lecture-écriture* (CP-CE par exemple), l'enfant devrait être assuré de ses capacités à l'oral : il ne faudrait jamais exiger de lui qu'il applique à l'écrit ce qu'il n'a pas dominé à l'oral (niveau essentiellement *phonogrammique*, avec usage de l'API, exercices phonétiques et priorité des graphèmes de base). Bien entendu, il n'est pas question de priver l'enfant qui veut écrire, et tout texte comprendra des accords et des mots fréquents, mais difficiles. C'est l'adulte qui l'aidera alors, et les « logogrammes » les plus familiers lui seront vite personnels, par l'usage (stade logo-phonogrammique).

— *Au niveau suivant* (CM), on pourrait exiger de lui, dans les tests, quelques accords simples, « étroits », aisément perceptibles (masc./fém., sing./pl., adj./nom, nom/verbe, etc.) après maniement approprié et varié des mêmes unités à l'oral.

— *Au niveau 6e-5e*, en revanche, la reprise systématique des acquis précédents, leur approfondissement, deviennent possibles et féconds. C'est à notre avis vers cet âge que peut commencer la véritable mise en *condition linguistique*, explicative, « explicite », même si de nombreux exercices d'enrichissement morphosyntaxique ou lexical sont faits auparavant. C'est à partir de cet âge que grandit la curiosité passionnée pour l'histoire des mots, leur systématique, leurs caractéristiques originales, etc. Par conséquent, si l'on peut dire, le terrain une fois préparé à l'école primaire par le goût et l'envie d'écrire, le second degré devrait prendre la relève, et son rôle, sans discontinuité, n'est pas mince. Ainsi, niveau par niveau, il devrait appartenir à tous les maîtres, et pas seulement au maître de français, de soutenir l'enfant dans ses progrès strictement mesurés. Il ne faut jamais oublier qu'un enfant qui entre en 6e a encore plus de 50 % de ses capacités langagières en langue écrite à acquérir, orthographe comprise. Or, rien ne prépare les professeurs de collège à assumer sérieusement une telle tâche. Même au CAPES, qui avec l'agrégation de grammaire partage à présent le privilège d'une épreuve de linguistique, jamais il n'est question, non pas d'une graphie isolée, mais du *système graphique actuel* dans son ensemble (avec quelques données indispensables sur l'histoire).

Travailler ainsi à une pédagogie plus scientifique, est-ce illusoire ? Ne renforce-t-on pas par là même le rôle ségrégatif de l'orthographe, sa place dans le « système » (social et politique celui-là) ? Beaucoup se le demandent. Mais l'utilisation d'un outil juge-t-il cet outil lui-même ? Et ne risque-t-on pas de pénaliser doublement l'enfant en continuant à le perdre dans une improvisation dramatique ? De quel droit ne le laissera-t-on pas bénéficier des acquis de la connaissance, d'un chemin moins épineux, d'une meilleure maîtrise de lui-même à l'école et dans la vie ? Un effort énorme est exigé de lui, et cet effort se perd dans les sables, avec celui du maître, lui-même trompé et désarmé, et incapable de le guider. Telle est la « crise » véritable, intégrée elle-même dans la remise en cause fondamentale exigée par un enseignement moderne, une pédagogie rénovée, dont elle est le révélateur. Si les maîtres, les éducateurs, ne se livrent pas à cette réflexion fondamentale, ne font pas l'effort nécessaire pour *dominer le terrain qu'ils veulent occuper*, personne ne le fera pour eux. L'exigence d'un enseignement plus simple, plus essentiel, plus humain aussi, en ce domaine comme dans les autres, passe par une prise de conscience critique du passé, positive des possibilités nouvelles, mais aussi des difficultés théoriques et pratiques à surmonter. Il ne faut pas se cacher qu'un tel redressement ne se fera pas en un jour, tant les implications multiples de la situation orthographique sont enracinées dans la société française.

En attendant, soyons patients : commençons par faire « moins mais mieux », suivant le vieil adage. Les premiers signes d'un progrès réel se font d'ailleurs sentir çà et là, dans les écoles normales, dans divers manuels, construits selon différentes approches (1). On confond souvent à tort, à cet égard, lecture et écriture. La lecture a bénéficié dans les années récentes d'un effort remarquable,

(1) Cf. les travaux des psychologues, des orthophonistes, des spécialistes de la petite enfance, dont nous avons peu parlé ici, comme S. Borel-Maisonny, L. Lentin... ; le Groupe français d'éducation nouvelle (revue *Dialogues*), l'AFEF (Association française des Enseignants de français, revue *Français aujourd'hui*), le GERREN (Groupe d'études et de recherches des rééducateurs de l'EN, revue *Interéducation*), etc., et surtout l'INRP [27] ; cf. aussi les nouvelles collections sur l'orthographe, qui intègrent, enfin, les acquis de la recherche (par exemple les nouveaux *Moniteurs d'orthographe*, Nathan, 1994-1995, publiés sous la direction de J.-P. Jaffré et D. Ducard, du CNRS-HESO, 2 séries parues), et Bibl. [27]).

et souvent suivi d'effets (1). Mais, il faut s'en convaincre, les véritables problèmes se situent ailleurs : si le XIXe siècle a donné la lecture à tous, le XXe siècle est loin d'avoir tenu ses promesses en ce qui concerne l'écriture, donc l'orthographe pour tous et à un haut niveau, et c'est là où le bât blesse. Dans le Secondaire, les choses sont plus difficiles encore. Ce qui tient essentiellement à une organisation trop parcellaire du temps et de l'espace, qui empêche, malgré quelques essais de regroupements, tout projet d'écriture longue et de pédagogie dynamique.

L'INRP a cependant publié la synthèse de quinze années de recherche sur ces sujets (H. Romian et coll., *Didactique du francais et recherche-action*, coll. Rapports de recherche, 2, INRP, 1989, 260 p.). On y trouve, au chapitre V, un article important de G. Ducancel, « Apprendre en résolvant des problèmes » (pp. 171-228). On y fait le point sur l'ensemble des résultats acquis par le groupe INRP « Résolution de problèmes » en langue et orthographe. Ces travaux s'efforcent de mettre ainsi l'enfant

---

(1) La lecture des jeunes n'a pas baissé, au contraire. Cf. Lire, écrire, compter au sortir de l'école élémentaire, *Education et formations*, n° 14, janv.-mars 1988, et Lire à l'école élémentaire, n° 21, 1989 ; Que sait-on des connaissances des élèves ?, *Les dossiers éducation et formation*, n° 17, oct. 1992, etc. Tous ces travaux confirment si besoin était que, loin de baisser, les performances des élèves pour la lecture sont bonnes, mêmes si elles ne sont jamais suffisantes. Ce dernier rapport, réalisé par le CIEP (Centre international d'études pédagogiques), montre qu'au primaire comme au secondaire, notre pays arrive sur ce terrain *en tête* de la CEE ; « En CM1, y lit-on, 5 % des élèves ont de réelles difficultés de lecture et 20 % sont d'excellents lecteurs. En troisième, moins de 3 % continuent à avoir de réelles difficultés de lecture. » On comprend de moins en moins, par conséquent, les affirmations gratuites et alarmistes reprises çà et là au sujet des « 20 % des enfants qui ne savent pas lire en 6e » (AFL, 1988, rapport Migeon, 1988), ou celle d'un ministre disant, en 1993, qu'il y en aurait « un sur cinq à la fin de l'enseignement obligatoire » (*Le Monde*, 6 mai 1993). Exagérations qui, sans doute, tentent de rejeter les problèmes sur le corps enseignant, et empêcher ainsi toute solution réelle.

devant l'orthographe au sens le plus large, liée à la langue, en tant qu'activité d'éveil, « à partir de ses propres découvertes » (cf. citations du *Plan de rénovation* plus haut, pp. 102-103, et Chr. Nique, La langue, activité d'éveil scientifique, revue *Repères*, 1977). En 1992, paraissait également ce que les maîtres appellent depuis « le petit livre rouge » (*Maîtrise de la langue à l'école*, MEN, CNDP, 192 p.), avec une synthèse de plusieurs rapports ministériels sur la question (bonne Bibliographie).

Que faire donc ?

Une meilleure définition des répertoires de signes de base, avec usage de l'API : une méthode allant toujours de la pratique à la théorie ; la dissociation des besoins en lecture et des besoins en écriture ; la modernisation des textes, des exemples, des procédés d'approche, des exercices, dans leur contenu et dans leur forme ; une meilleure utilisation des dictionnaires ; une meilleure docimologie, une attitude plus souple envers la norme, orale et écrite, la mise au point d'une typologie à référence psycholinguistique et linguistique des écarts et de leur traitement spécifique ; une meilleure coordination verticale (progression) et horizontale (entre les maîtres d'un même niveau) ; un enseignement mesuré et testé du vocabulaire et des exigences orthographiques ; la suppression aux examens du barrage fatidique de la dictée, remplacé par une note générale de correction écrite, telles sont quelques-unes des directions de recherche et de réflexion que nous proposons pour notre part, susceptibles de débloquer dans une certaine mesure une situation souvent ressentie comme intolérable. Utopie ? Peut-être, bien que les résultats obtenus en Suisse et dans d'autres pays où ces problèmes sont pris au sérieux soient encourageants. Il faudrait appliquer systématiquement les tolérances accordées en 1977, et aussi se saisir des dernières *Rectifications de l'orthographe* pour, non seulement soulager ainsi, en les appliquant, la mémoire des enfants de nombreuses anomalies, mais relancer une véritable réflexion collective sur ces problèmes, ce qui ne peut être que profitable.

L'introduction de l'ordinateur dans les écoles ne peut manquer, elle aussi, d'aider aux travaux personnels des enfants et d'imposer aux maîtres une approche nouvelle, plus exigeante et plus rigoureuse, des régularités de la langue écrite. Si l'on

117

introduit une « règle » et qu'elle ne marche pas, l'ordinateur le révélera aussitôt... Logiciels d'aide à la lecture, compréhension et analyse de textes, production textuelle assistée, et même génération automatique, seront demain entre nos mains et entre les mains des enfants, avec des moyens appropriés pour s'en servir : bases de données lexicales et orthographiques, grammaire, jeux linguistiques, correcteur automatique de fautes, etc., [Bibl. 25]. Est-il encore possible, dans ces conditions, de continuer à traiter la génération qui parviendra à l'âge adulte en l'an 2000 comme de simples entonnoirs à remplir de listes et de recettes ? Répétons encore une fois la phrase prémonitoire de F. Ters, qui se révèle de plus en plus vraie : « Il fallait que tout change. Or, rien n'a changé ! » (cf. p. 99). Bien sûr, l'ordinateur, pas plus qu'aucune avancée technique, ne réglera tout, puisque, comme nous l'avons vu, l'échec en orthographe est le révélateur de problèmes plus graves, qui se situent en dehors d'elle. Mais la confusion, la crainte d'un donné mythifiant et que l'on ne domine pas devraient disparaître, avant tout par une *meilleure formation des maîtres*. Il n'y a dans ce domaine pas de recettes à attendre, pas de miracles à espérer. Mais ils sont de plus en plus nombreux, les enseignants qui prennent conscience que rien ne se fera sans eux, dans le présent comme dans l'avenir.

Notions fondamentales

Phonème : la plus petite unité distinctive de la chaîne orale, le son. Ex. : *s*, *o*, *c*, dans *soc*, deuxième articulation pour A. Martinet.

Monème ou morphème : la plus petite unité significative de la chaîne orale. Ex. : *pour*, *chass*, *er*, dans *pourchasser*, première articulation pour A. Martinet.

Graphème : la plus petite unité distinctive et/ou significative de la chaîne écrite, composée d'une lettre, d'un groupe de lettres (digramme, trigramme), d'une lettre accentuée ou pourvue d'un signe auxiliaire, ayant une référence phonique et/ou sémique dans la chaîne parlée. Ex. : *p*, *ou*, *r*, *ch*, *a*, *ss*, *e*, *r*, dans *pourchasser*. On peut classer les graphèmes en trois catégories :

— **les phonogrammes**, ou graphèmes chargés de transcrire les sons ; leur usage est réglé par les *lois de position* ; ex. : *g* dans *gare*, *gu* dans *gué* ;

— **les morphogrammes**, surtout situés, pour les renforcer, aux jointures des mots, maintenus graphiquement identiques qu'ils soient prononcés ou non ; ex. : marques de féminin/masculin, singulier/pluriel, suffixes/préfixes, radicaux/dérivés, etc. ;
— **les logogrammes**, ou « figures de mots », dans lesquels, à la limite, la « graphie » ne fait qu'un avec le mot, dont on ne peut la dissocier (ex. : *sept*, *thym*, *pouls*, *coing*, etc.).

Archigraphème : graphème fondamental, représentant d'un ensemble de graphèmes correspondant au même phonème ou au même archiphonème (ex. O pour *o*, *ô*, *au*, *eau*, etc.). Certains archigraphèmes sont des « idiotismes graphiques » (X, OI, OIN).

I

Les 45 graphèmes de base du français ([1])
(phonogrammes)

Archigraphèmes		Graphèmes de base	% d'utilisation
		Voyelles	
A		a	92
E	[e]	e + é	99
	[ɛ]	(e) + è	68
		ai	30
I		i	99

([1]) Les pourcentages mentionnés, issus de sondages, sont donnés sous toute réserve, à titre d'ordre de grandeur. Entre parenthèses, les graphèmes déjà mentionnés et qui ont plusieurs valeurs. L'association de deux graphèmes complémentaires (lois de position) est marquée par le signe +. Le *e* muet ou instable, important tant comme graphème positionnel que morphogrammique, n'a cependant pas pu être décompté ici, précisément en fonction de ces deux valeurs, dont l'une n'est pas phonogrammique. Le *h* ne correspond plus en français à aucun phonème (on ne devrait plus parler de *h* « aspiré »). Il n'a donc pas à figurer ici. Pour une liste plus complète et plus détaillée des graphèmes, voir *Struct. Orth.*, pp. 103-104, 107-108, 164-168, et *Traité*, pp. 9-15.

Archigraphèmes	Graphèmes de base	% d'utilisation
	Voyelles	
O	o au eau	75 21 3
U	u	100
EU	eu ------ (e)	93
OU	ou	98
AN	an en	44 47
IN	in (en)	45 47
ON	on	92,8
UN	un	97

	Semi-voyelles	
OI OIN	oi oin	100 100
IL(L), Y [j]	(i) ι il(l) y	86 10 3

Archigraphèmes	Graphèmes de base	% d'utilisation

Consonnes
(les consonnes doubles et les lettres muettes
ont été décomptées à part)

Archigraphèmes	Graphèmes de base	% d'utilisation
P	p	100
B	b	100
T	t	99
D	d	100
C	c + qu	98
G	g + gu	100
F	f	95
V	v	100
S	s + ss	69
	(c) + ç	26
	(s intervocalique)	90
Z	z	10
X	x	84
CH	ch	100
J	j	49
	(g) + ge	51
L	l	100
R	r	100
M	m	100
N	n	100
GN	gn	100

II

Formes fléchies les plus fréquentes
des verbes les plus fréquents du français

Référence : A. Juilland, *Frequency Dictionary of French Words*, Mouton, 1970. Les formes ci-dessous sont tirées des *Listes orthographiques de base* [*LOB* 4000], 1984 [Bibl. 24]. On trouvera dans cet ouvrage l'analyse et la méthodologie de l'établissement des listes. Une version développée de 8 000 mots et formes est en cours.

Avoir et *être*, à eux seuls, couvrent d'après Juilland 23 438 occurrences, contre 14 378 pour l'ensemble des 12 verbes suivants. Nous avons ajouté aux 12 verbes de base de l'Echelle DB (qui se retrouvent ici) les 2 verbes *devoir* et *falloir*, en raison de leur forte fréquence. *Est, était* (fréqu. 8 061), *a, avait* (fréqu. 4 124) couvrent 12 185 occurrences, soit plus de 50 % de la fréquence totale d'*avoir* et *être*.

Les formes sont données en ordre de fréquence décroissant, toutes formes homographes confondues (verbe, auxiliaire, impersonnel, part. passé, etc.). La fréquence tient compte également des entrées différentes dans Juilland.

	Fréquence Juilland	Formes fléchies les plus fréquentes (en ordre décroissant)
être	14 034	est 6 655), était, sont, être, suis, fut, étaient, serait, êtes, sera, soit, es, étais, sommes, fût, étant...
avoir	9 404	a (3 002), avait, ai, ont, avons, avez, as, eu (eue, eus, eues) avaient, avais, aurait, eût, ait...
faire	2 388	fait (v. + p.p., 753), faisait, fit, fais, faites (v. + p.p.), font...
pouvoir	1 800	peut (602), pouvait, peuvent, pourrait, peux, pouvoir, puisse...
dire	1 755	dit (568), dire, dis, dites, disait...
aller	1 201	va (289), vais, allons, allez, allait...
voir	1 082	voir (276), voit, vois, voyez...

	Fréquence Juilland	Formes fléchies les plus fréquentes (en ordre décroissant)
savoir	978	sais (284), savoir, sait, savez, savait, savais...
vouloir	836	veux (198), veut, voulez, voulu, vouloir, voulait, voulais, veulent...
venir	815	vient (190), venait, viens, venu...
devoir	754	doit (233), devait, dû...
donner	733	donner (177), donne, donné, donnait...
falloir	679	faut (459), fallait, faudrait...
prendre	603	prendre (181), prend...

III

Liste des 25 mots de forte fréquence
touchés par les *Rectifications de l'orthographe française*
(en nouvelle orthographe, 6 déc. 1990) [1]

abime
accroitre
aout
apparaitre (et autres verbes en -aitre)
pl. après-midis (et pl. réguliers de ce type)
assoir
boite
bruler
céder, cèdera (et autres verbes de ce type)
chaine
couter
croute
diner
entrainer
évènement
flute
frais, fraiche
gout
ile
maitre, maitresse
mure
sure
surement
trainer
traitre (et autres circonflexes sur i et u)

[1] Voir N. C., *L'orthographe en débat*, pp. 197-198 [Bibl. 17]. Références : *LOB* 8000, à paraître.

BIBLIOGRAPHIE

Histoire

[1] Charles BEAULIEUX, *Histoire de l'orthographe*, Paris, Champion, 1927, rééd. 1970. Le tome II traite des *Accents et autres signes auxiliaires* (le tome I ne va que jusqu'à 1550) [abrév. : *Beaul.*].
[2] Ferdinand BRUNOT, *Histoire de la langue française*, Paris, A. Colin, 1905-1953, 13 vol., rééd. 1968 ; fondamental [abrév. : F. B., *HLF*].
[3] Nina CATACH, *L'orthographe française à l'époque de la Renaissance*, Genève, Droz, 1968. Le tome II traite des *Modifications orthographiques des dictionnaires de l'Académie française, 1694-1935*, à paraître (le tome I va jusqu'en 1640 environ) ; [abrév. : N. C., *Orth. Ren.*].
[4] (Sous la direction de N. CATACH), *Dictionnaire historique de l'orthographe française (DHOF)*, coll. « Trésors du français », Larousse, 1994, 1 327 p.

Numéros de revues

[5] *Cahiers pédagogiques*, n° 44, oct. 1963 (dirigé par E. JUNG).
[6] *Etudes de linguistique appliquée*, n° 8, Didier, 1972 (dirigé par N. C.) ; [abrév. : *ELA*].
[7] *Langue française*, n° 20, Larousse, 1973 (dirigé par N. C.) ; importante bibliographie [abrév. : *LF*].
[8] *Pratiques*, n° 25, Metz, déc. 1979 (dirigé par N. C.) ; importante bibliographie.
[9] *Mots*, n° 28, « Orthographe et société », 1991.
[10] *Le français moderne*, en particulier, *pour l'histoire*, N. C., 1963 et suiv., les articles concernant 1900, qui sont repris dans N. C., La bataille de l'orthographe aux alentours de 1900, *HLF*, XIV et XV, Éd. du CNRS, 1985, pp. 237-251, et 1995 ; *pour la réforme*, P. IMBS, oct. 1971 ; J. M. KLINKENBERG, juill. 1971 ; G. ANTOINE, sur R. THIMONNIER, janv. 1976 [abrév. : *FM*].

Etudes et réforme

[11] Claire BLANCHE-BENVENISTE et A. CHERVEL, *L'orthographe*, Paris, Maspero, 1969, rééd. 1974.
[12] N. CATACH (sous la direction de), *La structure de l'orthographe française*, Actes du Colloque international CNRS, Klincksieck, 1974 (pour les autres publications de l'équipe HESO, voir *Pratiques*, bibliographie) [abrév. : *Struct. orth.*].
[13] N. CATACH, avec la collab. de C. GRUAZ, D. DUPREZ, *L'orthographe française, Traité théorique et pratique*, avec des travaux d'application et leurs corrigés, F. Nathan, 1980 ; 3ᵉ éd. 1995 [abrév. : *Traité*].
[14] V. G. GAK, *L'orthographe française*, Moscou, trad. française d'I. VILDÉ-LOT, Paris, SELAF, 1976.

[15] N. Catach, J. Golfand, R. Denux, *Orthographe et lexicographie*, t. I : *Variantes graphiques, mots latins, mots étrangers*, Didier, 1971 ; t. II : *Les mots composés*, Nathan, 1981. Lexique de 10 000 mots, propositions de normalisation [abrév. : *Orth. lex.*]

[16] N. Catach, *Les délires de l'orthographe*, Plon, 1989.

[17] N. Catach, *L'orthographe en débat, dossiers pour un changement*, avec la liste complète des mots rectifiés, Nathan, 1991.

[18] André Goosse, *La « nouvelle » orthographe, exposé et commentaires*, Duculot, 1991.

[19] Jean Guion, *L'institution orthographe*, Ed. du Centurion, 1974 (annexe importante sur l'utilisation de l'*Echelle Dubois-Buyse*) [abrév. : *Inst. Orth.*).

[20] *Rapport général sur les modalités d'une simplification éventuelle de l'orthographe française* (projet de réforme dit projet Beslais), Paris, Didier, 1965.

[21] *Rapport sur les Rectifications de l'orthographe française*, *Journal officiel, Documents administratifs*, 6 déc. 1990.

Pédagogie

[22] Jean Dubois, *Grammaire structurale du français*, 3 vol., Paris, Larousse, 1965-1969.

[23] N. Catach, D. Duprez, M. Legris, *L'enseignement de l'orthographe*, Dossiers didactiques Nathan, 1980.

[24] N. Catach, F. Jejcic, *Les listes orthographiques de base du français* [*LOB* 4000], Les mots les plus fréquents et leurs formes fléchies les plus fréquentes, F. Nathan, 1984 (*LOB* 8000 à paraître).

[25] N. Catach, A. Delgado, L. Delisle, J.-C. Lallias, R. Monde, A. Pérochon, *Orthobase 6 000 mots*, Cedic-Nathan, 1987 (un des livres d'accompagnement du progiciel *Orthobase 6 000*).

[26] ciep, Les dossiers de Sèvres, *L'orthographe*, fascicule n° 73, t. 1, 1981, t. 2, 1983, t. 3 et 4, *Bibliographie* (Textes officiels, ouvrages de référence, etc.).

[27] Renée Honvault, J.-P. Jaffré, D. Ducard, *L'orthographe en trois dimensions*, Nathan, 1995.

[28] inrdp (devenu inrp, Institut national de Recherches pédagogiques) : revues *Repères*, 1970 et suiv., en particulier *Plan de rénovation de l'enseignement du français à l'école élémentaire*, oct. 1970 [abrév. : *Plan*]. *Recherches pédagogiques*, n° 38, 1969 et suiv. ; *Repères*, 1970 et suiv. *Pour une réforme de l'enseignement du français*, rapport de la Commission P. Emmanuel, 1975, annexe sur l'orthographe pp. 226-256.

[29] J.-P. Jaffré, *Didactiques de l'orthographe*, Hachette, 1992.

[30] V. Lucci, A. Millet et coll., *L'orthographe de tous les jours, enquête sur les pratiques orthographiques des Français*, Champion, 1994.

[31] François Ters, *Orthographe et vérités*, Paris, ocdl, 1973 (présentation et expérimentation de l'*Echelle Dubois-Buyse d'orthographe usuelle française*, Neuchâtel, Meisseiller, 3ᵉ éd., 1973, et du *Vocabulaire orthographique de base*, ocdl, 1968) ; [abrév. : F. T., *Echelle DB, VOB*].

TABLE DES MATIÈRES

Imprimé en France
Imprimerie des Presses Universitaires de France
73, avenue Ronsard, 41100 Vendôme
Juillet 1995 — N° 41 685